Станислав Чернышов
Алла Чернышова

ПОЕХАЛИ!

РУССКИЙ ЯЗЫК ДЛЯ ВЗРОСЛЫХ. НАЧАЛЬНЫЙ КУРС

УЧЕБНИК

2-е издание

Санкт-Петербург
«Златоуст»

2019

1.1

УДК 811.161.1

Чернышов, С.И., Чернышова, А.В.
Поехали! Русский язык для взрослых. Начальный курс : учебник. Часть 1.1. — 2-е изд. — СПб. : Златоуст, 2019. — 176 с.

Chernyshov, S.I., Chernyshova, A.V.
Let's go! Russian for adults. A course for beginners : textbook. Part 1.1. — 2 nd ed. — St. Petersburg : Zlatoust, 2019. — 176 p.

Зав. редакцией: А.В. Голубева
Редакторы: М.О. Насонкина, А.В. Голубева
Корректор: О.М. Федотова
Вёрстка: В. Листова
Художники: И. Салатов, Н. Розенталь, М. Лукьянова
Фотоматериалы: © Dreamstime.com, © Depositphotos.com
Обложка: ООО РИФ «Д'АРТ»

Комплекс предназначен для начинающих изучать русский язык с нуля и состоит из двух частей (1.1 и 1.2). Курс рассчитан в среднем на 80–120 часов аудиторной работы и выводит учащихся на уровень А2. Комплекс включает учебник, рабочую тетрадь с ключами к курсу, аудиоприложение.

Задача курса — обеспечение быстрого вывода языкового материала в речь на основе взаимосвязанного обучения всем видам речевой деятельности. В нём органично сочетаются коммуникативный и грамматический подходы, современная тематика и живой разговорный язык. Видеокурс с методическими рекомендациями для преподавателя размещен на сайте авторов.

Для продолжения курса рекомендуется учебник «Поехали! Русский язык для взрослых. Базовый курс» (2.1. и 2.2).

Аудиоприложение (файлы для прослушивания и скачивания) можно приобрести на сайте ЛитРес.

Познакомиться с вебинаром авторов можно по ссылке: https://www.youtube.com/watch?v=KsRcxhnajnk

ISBN 978-5-907123-06-9

Подготовка оригинал-макета: издательство «Златоуст».
Подписано в печать 19.04.19. Формат 60x90/8. Печ. л. 22. Печать офсетная.
Тираж 5000 экз. Заказ № 18793.
Код продукции: ОК 005-93-953005.
Санитарно-эпидемиологическое заключение на продукцию издательства Государственной СЭС РФ № 78.01.07.953.П.011312.06.10 от 30.06.2010 г.
Издательство «Златоуст»: 197101, Санкт-Петербург, Каменноостровский пр., д. 24в, пом. 1–Н. Тел.: (+7-812) 346-06-68, 703-11-78; e-mail: sales@zlat.spb.ru; http://www.zlat.spb.ru
Отпечатано в типографии ООО «ЛД-ПРИНТ».
196644, г. Санкт-Петербург, пос.Саперный, территория предприятия «Балтика», д. 6/н, литер «Ф».
Тел.: (+7-812) 462-83-83.

СОДЕРЖАНИЕ

ПРИЛОЖЕНИЯ

Условные знаки и сокращения

´ — ударение
m. — мужской род
n. — средний род
f. — женский род
Sing. — единственное число
Pl. — множественное число
Nom. — именительный падеж, nom. / Nominative № 1
Accus. — винительный падеж, Accusative № 4
Prep. — предложный падеж, Prepositional № 6
Instr. — творительный падеж, Instrumental № 5
Gen. — родительный падеж, Genitive № 2
Dat. — дательный падеж, Dative № 3
Adj — прилагательные
Inf. — инфинитив
! — исключения
— Слушаем! Есть аудиозапись
— Пишем!
— Читаем!
— Говорим!
— Работаем в паре!
— одушевлённое существительное
— одушевлённое существительное в pl.
■ — неодушевлённое существительное
■ ■ — неодушевлённое существительное в pl.
— к заданию есть ключ
— — нулевое окончание

Урок 1

ФОНЕТИКА

1

TB01

1. **А = A; Е = E; К = K; М = M; О = O; Т = T**

кóт ó = [o]
томáт о = [а]

кот какáо áтом комéта томáт

2. **Р = R:** рок, теáтр, кáрта, каратé, мотóр, метрó, ракéта, караóке
С = S: стресс, мáска, ксéрокс, кóсмос, тест, тост, текст
Н = N: танк, тóнна, ресторáн, момéнт, нóрма
В = V: Москвá, Вéна, éвро, Верóна, ветерáн
И = I: кинó, винó, Тóкио, таксú, систéма, три, Амéрика, математúка, Интернéт, сим-кáрта
У = U: кáктус, турúст, сувенúр, сáуна, минýта, институ́т, университéт, коммунúст
Х = H: харáктер, хáкер, Хиросúма, монáрх, Христóс, Аллáх

3. **Б:** банк, банкомáт, Берн, брат, бóмба, бар, Бонн, автóбус
Г: гитáра, гимнáстика, Аргентúна, гáмбургер
Д: докумéнт, áдрес, кредúт, демокрáт, дирéктор, идиóт, вúдео
З: вúза, вáза, рóза, казинó, крúзис, бúзнес, бизнесмéн
Л: литр, лимóн, миллиóн, клиéнт, клуб, коллéга, интеллéкт, балéт, балáнс, километр, килогрáмм, телевúзор
П: парк, порт, капитáн, пáспорт, Еврóпа, Петербýрг, грýппа, проблéма, поликлúника, парлáмент, трáнспорт, сýпер
Ф: óфис, фúрма, факт, кóфе, кафé, фáбрика, футбóл, телефóн, факс, фотóграф, Áфрика, фантáстика
Ы: мýзыка, музыкáнты, Крым, турúсты, продýкты, ресýрсы, клиéнты, студéнты
Э: экономика, экономúст, аэропóрт, экзáмен, эрóтика, эспрéссо

4. **Ё:** актёр, партнёр, репортёр, боксёр
Й: май, йóгурт, йóга, сайт, «Фейсбýк», «Тойóта», дизáйнер, музéй
Ю: бюрó, бюрокрáт, бюджéт, юмор, сюрпрúз
Я: Россúя, Итáлия, Áзия, Япóния, компáния, демокрáтия

5. **Ж:** журнáл, журналúст, мéнеджер, джúнсы, жирáф
Ц: центр, цунáми, ситуáция, корпорáция, коррýпция
Ч: чек, чемпиóн, Чúли, матч, капучúно
Ш: шок, шоколáд, машúна, шофёр, сýши, шампáнское
Щ: борщ, жéнщина, компью́терщик

6. **Ъ:** объéкт, субъéкт
Ь: Нью-Йóрк, Неáполь, секретáрь, апрéль, октябрь

TB02

Выбираем буквы, которые слышим:

1. м **к** т а о е м а к к е т
2. с у х в и н р и с р у с х с н с и р р в с
3. б п д л д п ф э ы э з г л б ы э п ф п г д ы д б
4. ё ю я й я ю ю ё й я й ё я ю ё ю я й й ё ю
5. ж ш ч ц щ ч ч ш ц ш щ ц ж ч ш ц щ ж ш ч щ

TB03

Собираем слова:

ф е н о л е т — телефо́н

т ч м а
_ _ _ _

р н е ц т
_ _ _ _ _

а б ж г а
_ _ _ _ _

д а к в о
_ _ _ _ _

р а г и т а
_ _ _ _ _ _

б о ф т л у
_ _ _ _ _ _

р и с т т у
_ _ _ _ _ _

р т а к а
_ _ _ _ _

TB04

Выбираем нужные буквы и собираем слова:

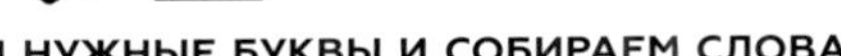

~~ш~~ р ж у н л ~~о~~ а — журна́л

р б а к о п
_ _ _ _

о а к л ш с п
_ _ _ _ _

ш и ф с о ж
_ _ _ _

д о у б в и е
_ _ _ _ _

т д е з у с н ш т
_ _ _ _ _ _ _

ж а р з о ш
_ _ _ _

м ё р ю о г
_ _ _ _

с е з у н и б ж
_ _ _ _ _ _

TB05

Вписываем буквы:

пас___орт	___пера	___илограмм	а___ропорт
муз___ка	___имон	ко___е	про___лема
такс___	кре___ит	ви___а	са___на
___емпион	студе___т	___амбургер	су___енир
бор___	___огурт	ситуа___ия	су___и

Пишем кириллицей своё имя, фамилию, город и страну.

....

....

Урок 2

Фонетика

ТВЁРДЫЕ			МЯГКИЕ		
Б П В Ф Г К Д Т З С Л М Н Р Х	+	А У О Ы Э	Б П В Ф Г К Д Т З С Л М Н Р Х	+	Я Ю Е/Ё И Ь

Ж, Ш, Ч, Щ + И, А, У

ЖИ, ШИ, ЧИ, ЩИ ЧА, ЩА; ЧУ, ЩУ

1

TB06

Читаем, потом слушаем и выбираем:

ла — ля	лу — лю	ло — лё	лэ — ле	лы — ли
да — дя	ду — дю	до — дё	дэ — де	ды — ди
та — тя	ту — тю	то — тё	тэ — те	ты — ти
ма — мя	му — мю	мо — мё	мэ — ме	мы — ми

2

TB07

Слушаем и повторяем, читаем:

ла́мпа, Лао́с, шко́ла
литр, лимо́н, Монго́лия
«Ла Ска́ла» — Аля́ска; Ло́ндон — Ле́нин

да, да́та, туда́
дя́дя, де́мон, демокра́т, банди́т, студе́нт, де́ти
данти́ст — де́мон; дом — де́ло

э́та, тот, тут
те́ма, теа́тр, тётя, тип, институ́т
тури́ст — террори́ст; тост — текст; ата́ка — апте́ка

мы, дам, ум, дом, да́ма, до́ма, ма́ма, там, ду́ма, том, мо́да
коме́та, меха́ник, микроско́п, ми́нимум, Мю́нхен
март — метр; мото́р — метро́

    **Слушаем и повторяем, читаем:**

ТВ08
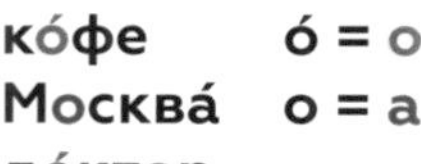 

Модель: хорошо́

ко́фе **о́ = о**
Москва́ **о = а**
до́ктор

рестора́н, Ло́ндон, Монта́на, вода́, во́дка, ко́фе, оте́ль, Росси́я, ко́ка-ко́ла, Вашингто́н, профе́ссия, о́фис, шко́ла, фотогра́фия

Модель: секу́нда

дире́ктор **е́ = е**
Петербу́рг **е = и**
Мю́нхен

теа́тр, метр, метро́, раке́та, тео́рия, систе́ма, секу́нда, Ве́на, Вене́ция, матема́тика, те́хника, литерату́ра

ЗДРАВСТВУЙТЕ!

ТВ09

— Здра́вствуйте!
— Здра́вствуйте!

— До свида́ния!
— До свида́ния!

— Извини́те!
— Ничего́!

— Приве́т! Я Марк.
— Приве́т! Я Ле́ра!

— Пока́!
— Пока́, ма́ма!

— Спаси́бо!
— Пожа́луйста!

— Приве́т, Марк! Как дела́?
— Спаси́бо, хорошо́!

— Что зна́чит «Приве́т»?
— Hi!

— Как по-ру́сски «taxi»?
— Такси́!

NOMINATIVE № 1

он	**оно́**	**она́**
телефо́н	метро́	гита́ра

студе́нт	студе́нтКа

m. **он**	**n.** **оно́**	**f.** **она́**
—	-О / -Е	-А / -Я
студе́нт	метрО́ мо́рЕ	студе́нткА семьЯ́
-Ь денЬ	—	-Ь ночЬ

4  **Он / оно / онА?**

тури́ст, шко́ла, телефо́н, кино́, маши́на, дом, оте́ль, кафе́, кот, магази́н, су́мка, Интерне́т, пробле́ма, же́нщина, университе́т, учи́тель, гита́ра, кни́га, рестора́н, аэропо́рт, Москва́, Ло́ндон, Евро́па, Росси́я, Кита́й, Аме́рика

он	оно́	
ко́фе па́па де́душка мужчи́на дя́дя Дми́трий — Ди́ма Алекса́ндр — Са́ша Влади́мир — Воло́дя	и́мя вре́мя	!

Кто э́то?

Э́то музыка́нт.
Э́то такси́ст.
Э́то студе́нтка.
Э́то учи́тель.

Что э́то?

Э́то гита́ра.
Э́то маши́на.
Э́то университе́т.
Э́то шко́ла.

Э́то соба́ка.

Э́то то́же соба́ка.

   Спрашиваем и отвечаем, пишем: 

Кто э́то? — Э́то ... .   **Что э́то? — Э́то ... .**

4 

1. кни́га 2. мужчи́на 3. студе́нт 4. дом 5. же́нщина 6. кафе́ 7. шко́ла 8. тури́ст 9. маши́на 10. магази́н 11. учи́тель 12. соба́ка 13. телефо́н 14. оте́ль 15. кот 16. су́мка

6 TB10

Что это? Кто это?

1. Это машина.
2. ……………
3. ……………
4. ……………
5. ……………
6. ……………
7. ……………
8. ……………

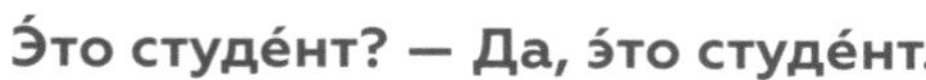

Э́то студе́нт? — Да, э́то студе́нт.

Э́то студе́нт? — Нет, э́то студе́нтка.

7

Смотрим на картинки, спрашиваем и отвечаем:

1. Э́то соба́ка?

2. Э́то же́нщина?

3. Э́то шко́ла?

4. Э́то маши́на?

5. Э́то кни́га?

ЧАСТЬ ПЕРВАЯ

I

Все счастливые семьи похожи друг на друга, каждая несчастливая семья несчастлива по-своему.

Все смешалось в доме Облонских. Жена узнала, что муж был в связи с бывшею в их доме француженкою-гувернанткой, и объявила мужу, что не может жить с ним в одном доме. Положение это продолжалось уже третий день и мучительно чувствовалось и самими супругами, и всеми членами семьи, и домочадцами. Все члены семьи и домочадцы чувствовали, что нет смысла в их сожительстве и что на каждом постоялом дворе случайно сошедшиеся люди более связаны между собой, чем они, члены семьи и домочадцы Облонских. Жена не выходила из своих

6. Э́то магази́н? А э́то что?

Урок 3

ФОНЕТИКА

1

TB11

а — о — у — ы

у — ы   бу — бы   му — мы   ту — ты
ы — и   мы — бы — ты — вы — ды — ры
бы — би   мы — ми   ды — ди   ты — ти   вы — ви

у — о   **у — ы**   **у — а**   **ы — а**

ду́мать — дым
слу́шать — слы́шать
ту́ча — ты́сяча
му́зыка — мы́ло
ду́мать — ды́шит
вулка́н — вы́ход
суп — сын

Кто э́то? — Э́то Ди́ма.
Кто э́то? — Э́то Ми́ша.
Что э́то? — Э́то Ри́га.
Что э́то? — Э́то дом.
Что э́то? — Э́то мы́ло.
Что э́то? — Э́то Крым.

2

TB12

на — ня	ну — ню	но — нё	нэ — не	ны — ни
ба — бя	бу — бю	бо — бё	бэ — бе	бы — би
па — пя	пу — пю	по — пё	пэ — пе	пы — пи
ва — вя	ву — вю	во — вё	вэ — ве	вы — ви
фа — фя	фу — фю	фо — фё	фэ — фе	фы — фи

3

TB13

он, но́та, то́нна, А́нна, Анто́н
Непа́л, Днепр, не́бо, Нил
но́та — нет; но́рма — не́рвы

Бонн, бо́мба, бана́н, ба́ба
бюрокра́т, биле́т, белору́с
банк — Берн; бар — бюро́

пу́ма, па́па, пан;   па́па — ба́ба; пот — бот
Пеки́н, спекта́кль, пингви́н, пистоле́т
порт — Пётр; парк — пик

вода́, вот, два, Москва́
ви́рус, Ви́ктор, ви́кинг, отве́т, приве́т
ва́за — ви́за; ва́нна — Ве́на; ва́рвар — ви́кинг

фо́то, Уфа́, фанто́м, факт
фи́ниш, ко́фе, фестива́ль
финн — фо́то; фено́мен — фонта́н; финанси́ст — фанта́ст

ГДЕ?

Где суперма́ркет? — Вот он.
Где ка́рта? — Вот она́.
Где метро́? — Вот оно́.

Модель:
— Где рестора́н?
— Вот он.

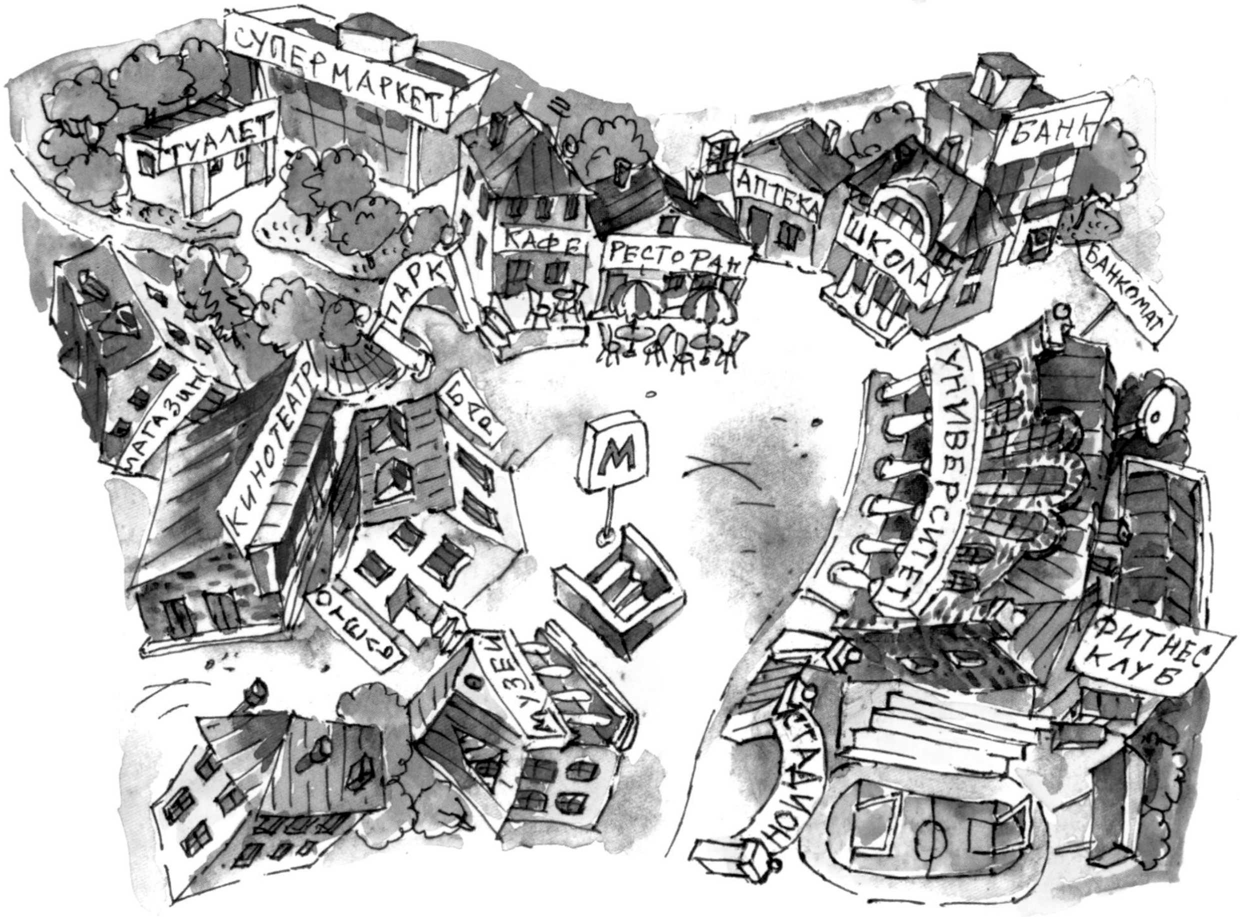

1. рестора́н
2. парк
3. кафе́
4. шко́ла
5. университе́т
6. стадио́н
7. бар
8. оте́ль
9. метро́
10. дом
11. апте́ка
12. музе́й
13. у́лица
14. туале́т
15. банк
16. магази́н
17. суперма́ркет
18. кинотеа́тр
19. банкома́т
20. фи́тнес-клу́б

Я, ТЫ...

я	мы
ты	вы
он она́ оно́	они́

Вы секрета́рь?

Нет, я дире́ктор.

5  **Слушаем диалоги и выбираем картинки. Слушаем и пишем, что они говорят:**

ТВ14

Диалог 1.

— Алло́!
— О́скар, это .... ?
— Да, э́то .... Приве́т, Ка́тя.

Диалог 2.

— Кто там?
— Ма́ма, э́то ....

Диалог 3.

— .... там?
— Ма́ма, э́то ....

Диалог 4.

— Алло́!
— Приве́т, Макси́м! Э́то .... !
— Кто — .... ?
— Как кто? Дире́ктор!

Диалог 5.

— Алло́! Э́то поли́ция?
— Да, а .... кто?
— .... журнали́ст.
— Пра́вда?

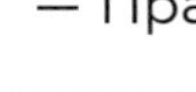

Диалог 6.

— Э́то .... ?
— Нет, э́то не ....

1

ПРОФЕССИИ

Он бизнесме́н. **Она́ врач.**

он m.	**она́ f.**
студе́нт	студе́нтка
учи́тель	учи́тельница
актёр	актри́са
спортсме́н	спортсме́нка
журнали́ст	журнали́стка
официа́нт	официа́нтка

он = она m.

экономи́ст	врач	программи́ст
секрета́рь	до́ктор	фото́граф
инжене́р	фе́рмер	инстру́ктор
поли́тик	по́вар	музыка́нт
солда́т	ме́неджер	гид

Это экономист.

6

— Кто э́то?
— Э́то Уи́льям.
— Кто он?
— Он принц.

— Кто э́то?
— Э́то Ме́рил.
— Кто она́?
— Она́ актри́са.

Ива́н

Серге́й

Ири́на

И́горь

Еле́на

Па́вел

Константи́н

Дидье́

Екатери́на

Людми́ла

Макси́м

А́нгела

Урок 4

ФОНЕТИКА

1

TB15

чи — ча — чо — че — чу

чи — чи	чита́ть — учи́тель
ча — ча	изуча́ть — ча́сто
чо — чё	горячо́ — чёрт
че — че	чей — учё́бник
чу — чу	хочу́ — чу́до

2

TB16

Я	**Е**	**Ё**	**Ю**
я	ешь	её	юг
моя́	есть	моё	ю́мор
Я́лта	е́сли	твоё	Югосла́вия

3

TB17

— Анто́н чита́ет?
— Да, он чита́ет.

—Ты рабо́таешь?
— Да, я рабо́таю.

— Вы игра́ете?
— Да, мы игра́ем.

— Вы зна́ете?
— Нет, не зна́ю.

— Ты отдыха́ешь?
— Да, я отдыха́ю.

— Вы отдыха́ете?
— Да, мы отдыха́ем.

4

TB18

тА		**тА – та**		**та – тА**	
где	стол	вре́мя	па́па	актёр	теа́тр
нет	стул	и́мя	гру́ппа	вино́	такси́ст
гид	класс	кни́га	мо́ре	окно́	тури́ст
да	кто	дя́дя	ко́фе	журна́л	музе́й
дом	что	су́мка		Приве́т!	Пока́!
ночь					

та – тА – та		**та – та – тА**	
актри́са	маши́на	адвока́т	журнали́ст
газе́та	мужчи́на	инжене́р	магази́н
гита́ра	пробле́ма	телефо́н	музыка́нт
дире́ктор	профе́ссор	капита́н	секрета́рь
компью́тер		рестора́н	

ГЛАГОЛ: ГРУППА 1

ЗНАТЬ **ЗНА - ТЬ**

я зна́Ю	мы зна́ЕМ	... -Ю	... -ЕМ
ты зна́ЕШЬ	вы зна́ЕТЕ	... -ЕШЬ	... -ЕТЕ
он/она́ зна́ЕТ	они́ зна́ЮТ	... -ЕТ	... -ЮТ

знать	де́лать	игра́ть	ду́мать	рабо́тать
чита́ть	изуча́ть	слу́шать	понима́ть	отдыха́ть

Алло́, алло́! Я слу́шаю.

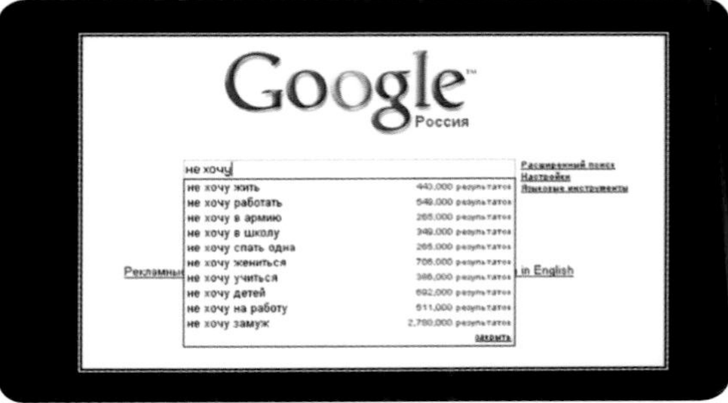

Э́то «Гугл». Он всё зна́ет.

Я не зна́ю ру́сский язы́к.

Мы изуча́ем ру́сский язы́к.

Он рабо́тает.

Она́ отдыха́ет.

Они́ игра́ют.

5 **Пишем слова:**

— Что вы де́лаете?
— Мы ....
....

— Что ты де́лаешь?
— Я ....

— Что он де́лает?
— Он ....
....

— Вы понима́ете?
— Да, я ....
....

— Они́ рабо́тают?
— Нет, они́ ....
....

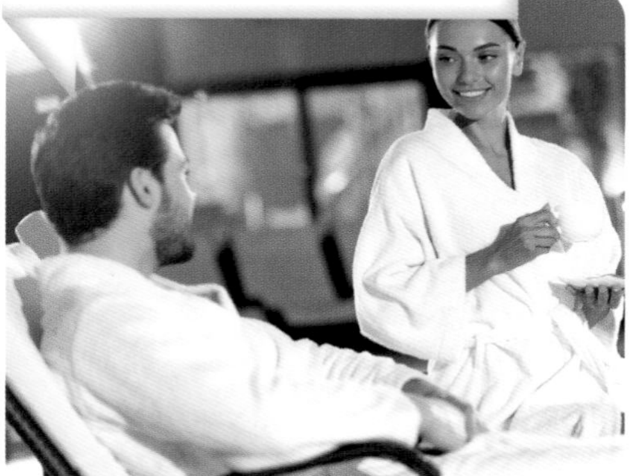

— Вы зна́ете ру́сский язы́к?
— Нет, мы ....
ру́сский. А вы?

ТВ19

**Смотрим на картинки и говорим, что они делают.
Читаем диалоги и думаем, где картинка. Потом слушаем диалоги и говорим, где ошибка:**

1. — Что ты де́лаешь?
— Я чита́ю.

2. — Что вы де́лаете?
— Я рабо́таю.

3. — Ты игра́ешь в футбо́л?
— Нет, я игра́ю в те́ннис. А ты?

4. — Ты рабо́таешь?
— Нет, я отдыха́ю.

5. — Вы зна́ете англи́йский?
— Да, зна́ю. А вы?

6. — Что ты слу́шаешь?
— Я слу́шаю рок!

7. — Что вы де́лаете?
— Мы изуча́ем ру́сский!

Смотрим на картинки, спрашиваем и отвечаем. Что делает / не делает ваш партнёр?

Модель:
— Ты слу́шаешь ра́дио?
— Нет, не слу́шаю. А ты?

— Ты чита́ешь бло́ги?
— Да, чита́ю. А ты?

— Ты зна́ешь италья́нский язы́к?
— Нет, не зна́ю. А ты зна́ешь?

— Ты игра́ешь в гольф?
— Нет, не игра́ю. Я игра́ю в баскетбо́л. А ты?

 футбо́л	 рэп	 журна́лы	 испа́нский язы́к
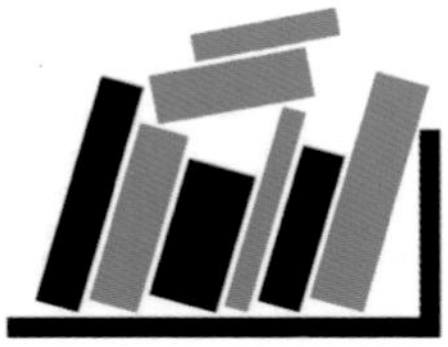 кни́ги	 кита́йск**ий** язы́к	 те́ннис	 рок
 англи́йский язы́к	 детекти́вы	 ру́сский язы́к	 гольф

  **Правда или неправда?**

1. Соба́ка: рабо́тает, отдыха́ет, не слуша́ет, ду́мает, не понима́ет
2. Студе́нт: не отдыха́ет, ду́мает, не чита́ет, рабо́тает
3. Бизнесме́н: не рабо́тает, отдыха́ет, ду́мает, не чита́ет кни́ги
4. Ба́бушка: слу́шает рэп, рабо́тает, не отдыха́ет, чита́ет, де́лает тату́

МНОГО / МАЛО

мно́го

ма́ло

 **Много / мало / не:**

1. Студе́нты .... зна́ют, ... ду́мают, ... чита́ют, ... отдыха́ют.
2. Музыка́нты .... игра́ют, ... чита́ют, ... отдыха́ют, ... рабо́тают.
3. Ро́бот .... зна́ет, ... рабо́тает, ... отдыха́ет и .... ду́мает!
4. Я .... зна́ю, ... ду́маю, ... чита́ю, ... рабо́таю, ... отдыха́ю.

   **Слушаем вопросы и отвечаем.**

ТВ20

А сейчас работаем в паре. Делаем диалоги:

Модель:
— Ты **мно́го** чита́ешь?
— Нет, я **ма́ло** чита́ю. А ты?

— Ты мно́го ... ?
— Да, я **мно́го** ...
— Нет, я **ма́ло** ...
— Нет, я **не** ...

чита́ть ду́мать знать рабо́тать отдыха́ть

Урок 5

ФОНЕТИКА

1   **Читаем, потом слушаем и выбираем:**

ТВ21

ла — ля	лу — лю	ло — лё	лэ — ле	лы — ли
да — дя	ду — дю	до — дё	дэ — де	ды — ди
та — тя	ту — тю	то — тё	тэ — те	ты — ти
ма — мя	му — мю	мо — мё	мэ — ме	мы — ми

2  **Читаем, потом слушаем и выбираем:**

ТВ22

ра — ря ру — рю ро — рё рэ — ре ры — ри

ра́дио — ря́дом, ру́ки — брю́ки, рука́ — река́, рок — тури́ст, ры́ба — Ри́га

3

ТВ23

та – тА	**тА – та**	**тА – та – та**	**та – та – тА**
гуля́ть	за́втрак	за́втракать	отдыха́ть
обе́д	ма́ло	у́жинать	отвеча́ть
отве́т	мно́го	спра́шивать	говори́ть
кури́ть	у́жин	слу́шаю	говори́шь

ГЛАГОЛ: ГРУППА 1

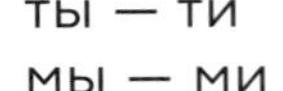

за́втракать	обе́дать	у́жинать	
гуля́ть	пла́вать	спра́шивать	отвеча́ть

за́втрак

обе́д

у́жин

за́втрак**ать**

обе́д**ать**

у́жин**ать**

ГЛАГОЛ: ГРУППА 2

ГОВОРИ́ТЬ **ГОВОР - И - ТЬ**

я	говорЮ́	мы говорИ́М	... -Ю	... -ИМ
ты	говорИ́ШЬ	вы говорИ́ТЕ	... -ИШЬ	... -ИТЕ
он/она́	говорИ́Т	они́ говорЯ́Т	... -ИТ	... -ЯТ

говори́ть смотре́ть кури́ть по́мнить

Соба́ка всё понима́ет, но не говори́т.
Интрове́рт ма́ло говори́т, но мно́го ду́мает.

Спортсме́ны не ку́рят!
Экстраве́рт мно́го говори́т.

говори́ть по-ру́сски, по-англи́йски, по-неме́цки, по-туре́цки, по-францу́зски, по-испа́нски, по-италья́нски, по-ара́бски

ру́с**ский** ⇨ **по**-ру́с**ски**

ТВ24

Они говорят по-русски? Да! (Нет!) Они говорят...

Делаем диалоги:

Модель: — Вы говори́те по-ру́сски?
— Нет, не говорю́. Я говорю́ по-англи́йски и по-неме́цки. А вы?
— А я говорю́ по-ру́сски, по-англи́йски и по-туре́цки!
— **Пра́вда**? Фанта́стика!

6

TB25

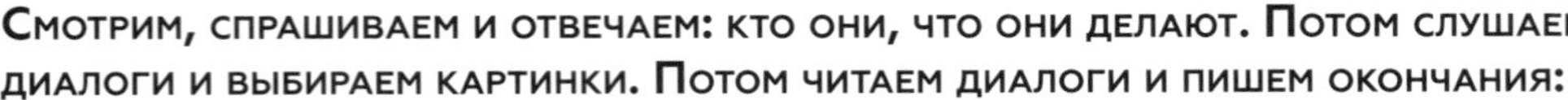

Смотрим, спрашиваем и отвечаем: кто они, что они делают. Потом слушаем диалоги и выбираем картинки. Потом читаем диалоги и пишем окончания:

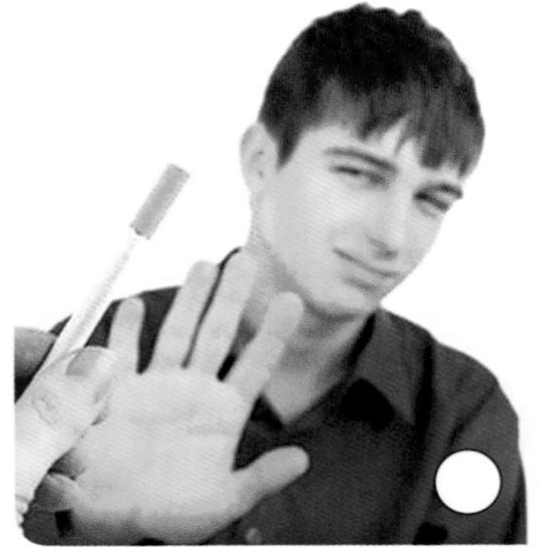

1.
— Ты обеда.......... ?
— Нет, я не обеда.......... ,
я завтрака.......... .

2.
— Вы сейчас гуля.......... ?
— Сейчас нет. Я работа.......... .
Я гид. Я много зна.......... .
Туристы слуша..........
и спрашива.......... ,
а я отвеча.......... .

3.
— Вы сейчас отдыха.......... ?
— Нет, я работа.............. .
Я фотограф: я гуля..........
и дела.......... фото.

4.
— Кто это? Что он дела.......... ?
— Это турист. Он гуля..........
и смотр.......... город.

5.
— Что ты смотр.......... ?
— Я смотр.......... бокс.
— Я не понима.......... , как ты это смотр.......... !

6.
— Ты кур.......... ?
— Конечно, нет! Ты знаешь, что я не кур.......... !

7.
— Вы дума.......... , она работа.......... ?
— Нет, она не работа.......... !
— Она смотр.......... фильм!

8.
— Я говор.......... , а вы не слуша.......... !
— Конечно, мы слуша.......... , но мы не понима.......... , что вы говор.......... !

9.
— Ты помн.......... , кто я?
— Конечно! Я не идиот.
Я помн.......... всё!

7

TB26

Смотрим и говорим, кто что делает. Слушаем и пишем:

Эрик

гуляет.

  **Смотрим на таблицу и говорим:** Это Брюс, он много читает, ...

Имя	Брюс	Я	Студент 2	Учитель
		....	....	....
Профе́ссия	студе́нт	....	....	....
мно́го чита́ть	⊞	☐	☐	☐
мно́го отдыха́ть	⊞	☐	☐	☐
рабо́тать	⊟	☐	☐	☐
изуча́ть ру́сский	⊞	☐	☐	☐
смотре́ть футбо́л	⊟	☐	☐	☐
мно́го ду́мать	⊞	☐	☐	☐
слу́шать рок	⊟	☐	☐	☐
мно́го гуля́ть	⊟	☐	☐	☐
кури́ть	⊞	☐	☐	☐
всё знать	⊟	☐	☐	☐

Работаем в группе:

Студент 1: — Как тебя́ зову́т?
Студент 2: — Меня́ зову́т ...
Студент 1: — Ты мно́го чита́ешь?
Студент 2: — ...

Студент 1: — Вы рабо́таете?
Учитель: — Да / Нет, я ...
Студент 1: — Вы мно́го гуля́ете?
Учитель: — Да / Нет, я ...

Говорим:

Меня́ зову́т... Я мно́го / ма́ло чита́ю...

Его́ зову́т... Он мно́го ду́мает...
Её зову́т... Она́ всё зна́ет...

Вас зову́т... Вы смо́трите футбо́л...

ЗДЕСЬ / ТАМ

Ты где? Я здесь.

Где гора́? Она́ там.

Где со́лнце?
Где учи́тель?
Где студе́нт?
Где Австра́лия?

Где су́мка?
Где кафе́?
Где туале́т?
Где кни́га?

9    **Читаем модели. Смотрим на картинки и играем: где это?**

Игра 1. «Это театр».

— Что вы там де́лаете?
— Мы там смо́трим и слу́шаем. Мы не говори́м и не чита́ем.
— Вы игра́ете?
— Нет, мы там не игра́ем. Актёр игра́ет, а мы смо́трим.
— Я зна́ю, э́то теа́тр.

Игра 2. Да. / Нет.

— Мы там игра́ем?
— Нет.
— Мы там обе́даем?
— Да.
— Э́то кафе́?
— Да.

Э́то теа́тр.

Э́то парк.

Э́то университе́т.

Э́то о́фис.

Э́то библиоте́ка.

Э́то кафе́.

Э́то дом.

Э́то кинотеа́тр.

Э́то стадио́н.

Э́то мо́ре.

Э́то музе́й.

Э́то туале́т.

Вы зна́ете, что лю́ди де́лают, когда́ они́ не рабо́тают? Да, они́ отдыха́ют. А как? Что они́ де́лают, когда́ отдыха́ют? Я ду́маю, я зна́ю.

Музыка́нт не игра́ет, он чита́ет. Профе́ссор не чита́ет, а смо́трит телеви́зор. Актёр не смо́трит фильм, он у́жинает в кафе́. Спортсме́н обе́дает, а по́вар смо́трит футбо́л. Фото́граф слу́шает ра́дио, до́ктор ку́рит, а программи́ст гуля́ет...

Вы понимаете принцип? Как вы думаете, это правда?

— Что вы де́лаете, когда́ вы не рабо́таете?

— Когда́ я не рабо́таю, я ...

отдыха́ть	чита́ть	изуча́ть язы́к	слу́шать подка́сты
пла́вать	ду́мать	гуля́ть	игра́ть
кури́ть	смотре́ть телеви́зор		де́лать се́лфи

   **Читаем, думаем и отвечаем:** 

Макси́м, На́стя, Са́ша, Ро́ма, Серёжа отдыха́ют: слу́шают ра́дио, смо́трят фильм, пла́вают, обе́дают, изуча́ют кита́йский язы́к.

- Са́ша ду́мает, что обе́дает На́стя.
- На́стя ду́мает, что Ро́ма изуча́ет кита́йский язы́к, а Макси́м смо́трит фильм.
- Ро́ма ду́мает, что Серёжа смо́трит фильм, а Са́ша — пла́вает.
- Макси́м ду́мает, что На́стя слу́шает ра́дио, а обе́дает Ро́ма.

Всё это неправильно. Кто что делает?

Урок 6

ФОНЕТИКА

1

ТВ27

мы — ми　　ты — ти　　мы — меня́
на — ня　　нас — меня́　　ты — тебя́

е　　ё　　а — е　　е — ё

а　　я　　а — я　　и — я

2

ТВ28

суп — систе́ма; со́ус — спаси́бо; су́мка — такси́
за — зя　　зу — зю　　зо — зё　　зэ — зе　　зы — зи
зо́на — зе́бра; ви́за — визи́т
Э́то ва́за. Э́то суп. Э́то мост. Э́то ро́за. Ро́за тут. Такси́ там. Вот ви́за.
суп — зуб; вас — ва́за; сон — зо́на; сад — зад

3

ТВ29

та – тА	**тА – та**	**та – тА – та**	**та – та – тА**	**та – та –тА – та**
меня́	Ма́ша	спаси́бо	музыка́нт	архите́ктор
тебя́	Ми́ша	прия́тно	комплиме́нт	отдыха́ю
её	о́чень	фото́граф	президе́нт	говори́те
зову́т	слу́шать	Мари́на	программи́ст	балери́на

МЕНЯ, ТЕБЯ...

— Алло́! Я **вас** слу́шаю.

— Они́ музыка́нты. Мы **их** слу́шаем.

— Я **тебя́** не понима́ю.

— Кто вы? Я **вас** не зна́ю.

я ⇨ **меня́**	мы ⇨ **нас**
ты ⇨ **тебя́**	вы ⇨ **вас**
он ⇨ **его́**	они́ ⇨ **их**
она́ ⇨ **её**	

МЕНЯ ЗОВУТ...

Меня́ зову́т Бонд. Джеймс Бонд.

Его́ зову́т Ше́рлок Холмс.

— **Как вас зову́т**?
— А́нна. **А вас**?
— **А меня́** Дени́с.

— Как вас зову́т?
— Макси́м Петро́вич.
— А меня́ Майкл.

— Приве́т! Как **тебя́** зову́т?
— Ва́ря. А **тебя́**?
— А меня́ Тёма.

— Как **его́** зову́т?
— **Его́** зову́т Рекс.

— Как **её** зову́т?
— **Её** зову́т Му́рка.

— Как **их** зову́т?
— **Их** зову́т Ди́на и Ари́на.

4

Вы их знаете? Как их зовут?

5

ТВ30

Слушаем диалоги и выбираем:

1.

Его́ зову́т:	☐ Ива́н Петро́вич	☐ И́горь Петро́вна	☐ И́горь Петро́вич
Её зову́т:	☐ Ири́на Петро́вна	☐ А́нна Петро́вна	☐ Али́на Петро́вна

2.

Его́ зову́т:	☐ Марк	☐ Макс	☐ Маркс
Её зову́т:	☐ Екатери́на	☐ Ко́стя	☐ Ки́тти

3.

Владисла́в:	☐ финанси́ст	☐ экономи́ст	☐ архите́ктор
Мари́я:	☐ архите́ктор	☐ экономи́ст	☐ официа́нтка

4.

Том:	☐ студе́нт	☐ спортсме́н	☐ музыка́нт
Али́на:	☐ студе́нт	☐ студе́нтка	☐ музыка́нт

6

Проверяем задание 5. Читаем диалоги:

Диалог 1.
— Здра́вствуйте! **Как вас зову́т**?
— **Меня́** зову́т А́нна Петро́вна. **А вас**?
— **Меня́** зову́т И́горь Петро́вич.
— О́чень прия́тно!

Диалог 2.
— Приве́т! **Как тебя́ зову́т**?
— **Меня́** зову́т Ка́тя. А **тебя́**?
— **А меня́** Макс.
— О́чень прия́тно!

Диалог 3.
— **Меня́** зову́т Владисла́в. **А вас**?
— А **меня́** Мари́я.
— Я архите́ктор. **А вы**?
— **А я** экономи́ст.

Диалог 4.
— **Меня́** зову́т Али́на. **А тебя́**?
— **А меня́** Том.
— Я студе́нтка. **А ты**?
— **А я** музыка́нт.

Я ...	⇨	**А вы?**	**А ты?**	**А он?**	**А она?**	**А они?**
Меня ...	⇨	**А вас?**	**А тебя?**	**А его?**	**А её?**	**А их?**

   **Слушаем фразы и пишем номера:** 

ТВ31

меня́ .... тебя́ 1 .... его́ .... её ....

нас .... вас .... их ....

   **Читаем диалоги и пишем, потом слушаем.**

ТВ32

Диалог 1.

— Здра́вствуйте! .... зову́т Дми́трий.
А как .... зову́т?

— О́чень прия́тно! .... зову́т Еле́на.

— О́чень прия́тно! А кто вы? Что вы здесь де́лаете?

— .... тури́стка. .... здесь отдыха́ю.

— А .... здесь рабо́таю. .... ба́рмен.

— Пра́вда? Ко́фе, пожа́луйста!

**Как их зовут? Она туристка? А он турист?
Что он делает? Что она делает? Кто делает кофе?**

Диалог 2.

— Приве́т, ... зову́т Ми́ша.

— А .... Ма́ша. О́чень прия́тно!

— О́чень прия́тно! .... ду́маю, ты моде́ль.

— Спаси́бо за комплиме́нт, но .... не рабо́таю.
.... студе́нтка. .... изуча́ю диза́йн.

— Пра́вда? Как интере́сно!

— А .... студе́нт?

— Нет, ... фото́граф.

**Как их зовут? Она модель? А кто он? Что она изучает?
Кто делает комплимент?**

9

Работаем в паре. Спрашиваем и отвечаем:

Модель:

— Как вас зову́т?
— Меня́ зову́т Ка́рлос.
— Вы рабо́таете?
— Да, я фото́граф.
— Вы говори́те по-испа́нски?
— Да, я говорю́ по-испа́нски и по-англи́йски.
— Что вы сейча́с де́лаете?
— Сейча́с я изуча́ю ара́бский.

10

Смотрим на фотографии и говорим: как их зовут, кто они.

Спрашиваем и отвечаем:
— Вы его́ зна́ете?
— Как его́ зову́т?
— Кто он?

бизнесме́н, миллиарде́р, музыка́нт, революционе́р, дикта́тор, худо́жник, поли́тик, программи́ст, президе́нт, писа́тель, ли́дер, ге́ний

11 Ищем в Интернете портреты людей из вашей страны или из России (актёр, писатель, политик, музыкант, спортсмен...) и спрашиваем в группе: Вы его / её знаете? Как его/её зовут? Как вы думаете, он спортсмен / она спортсменка? А кто он / она?
Слушаем ответы, потом рассказываем.

12 Читаем. Спрашиваем и отвечаем:

Меня́ зову́т Мари́я. Я официа́нтка и рабо́таю в кафе́. Здесь клие́нты за́втракают, обе́дают и у́жинают, а я то́лько рабо́таю.

Я хорошо́ их зна́ю, а они́ не зна́ют, как меня́ зову́т.

Я смотрю́, как они́ отдыха́ют, и ду́маю: почему́ я рабо́таю, когда́ они́ отдыха́ют? И почему́ я рабо́таю здесь? Почему́ я не студе́нтка?

Клие́нты ча́сто де́лают комплиме́нты и говоря́т: «Спаси́бо!»

Урок 7

ФОНЕТИКА

1

ТВ33

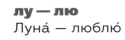

лу — лю
Луна́ — люблю́

ла — ля
ла́мпа — гуля́ть

ло — лё
сло́во — Алёна

лы — ли
кора́ллы — моде́ли

бу — бю
бу́ква — бюдже́т

ба — бя
банк — тебя́

бы — би
клу́бы — бистро́

2

ТВ34

о = а / о́ = о
смотре́ть — смо́трит
спортсме́н — спорт
столы́ — стол
отдыха́ть — о́тдых
зову́т — о́чень

е = и / е́ = е
дела́ — де́лать
отвеча́ть — отве́т
тебя́ — апте́ка
телеви́зор — студе́нт
меня́ — ме́сто

я = и / я́ = я
маляри́я — я́сно
лягу́шка — земля́
мясно́й — мя́со
пятна́дцать — пять
прямо́й — пя́тница

ЛЮБИ́ТЬ

я люблю́	мы лю́бим
ты лю́бишь	вы лю́бите
он/она́ лю́бит	они́ лю́бят

Я тебя́ люблю́.
А ты лю́бишь меня́?

Я Студе́нты  Соба́ка	гуля́ть отдыха́ть чита́ть пла́вать рабо́тать смотре́ть телеви́зор

3

ТВ35

Слушаем, кто что любит. Пишем плюс (+) или минус (–).

	Ми́ша	Ма́ша	Ка́тя и Ве́ра	Анто́н
бокс	+			
игра́ть в те́ннис				
гуля́ть				
смотре́ть телеви́зор	–			
чита́ть				

  **Спрашиваем и отвечаем:**

— Вы лю́бите покупа́ть сувени́ры?
— Да, о́чень люблю́.

— Ты лю́бишь чита́ть?
— Нет, не о́чень.

пла́вать	смотре́ть сериа́лы	слу́шать комплиме́нты
гуля́ть	изуча́ть языки́	де́лать комплиме́нты
чита́ть	смотре́ть телеви́зор	говори́ть по-ру́сски
рабо́тать	де́лать се́лфи	игра́ть в бо́улинг
отдыха́ть	за́втракать в кафе́	покупа́ть сувени́ры

Что вы любите делать? **Что вы не любите?** **Что все любят?**

  **Правда (+) или неправда (–)?**

- ☐ Мужчи́ны лю́бят смотре́ть футбо́л.
- ☐ Ко́шки лю́бят пла́вать.
- ☐ Пенсионе́ры не лю́бят смотре́ть телеви́зор.
- ☐ Мужчи́ны лю́бят говори́ть комплиме́нты.
- ☐ Же́нщины не лю́бят слу́шать комплиме́нты.
- ☐ Студе́нты лю́бят чита́ть.
- ☐ Тури́сты лю́бят де́лать се́лфи.
- ☐ Лю́ди не лю́бят рабо́тать.

   **Читаем тексты. Потом слушаем и думаем, где ошибки (12):**

ТВ36

Текст 1.
Её зову́т О́льга. Она́ учи́тель. Она́ лю́бит рабо́тать, но рабо́тает ма́ло. Она любит чита́ть и смотре́ть телеви́зор. Она́ ду́мает, что И́горь её лю́бит.

Текст 2.
Его́ зову́т И́горь. Он инжене́р. И́горь лю́бит рабо́тать и рабо́тает мно́го, день и ночь. Он мно́го ду́мает и мно́го зна́ет. Когда́ О́льга говори́т, что не лю́бит смотре́ть телеви́зор, он её понима́ет.

Текст 3.
Его́ зову́т Ди́ма. Он студе́нт. Он мно́го гуля́ет и не лю́бит чита́ть. Он ду́мает, что па́па и ма́ма его́ не лю́бят.

Урок 8

Фонетика

1

TB37

звонкие:	Б	В	Г	Д	Ж	З
глухие:	П	Ф	К	Т	Ш	С

Год [т]. Ад [т]. Э́то сад [т]. Там за́пад [т]. Э́то гид [т].
Э́то клуб [п]. Э́то хлеб [п]. Э́то зуб [п]. Он сноб [п].
Э́то глаз [с]. Э́то расска́з [с]. Э́то прика́з [с]. Э́то газ [с].

сад [т] — сады́ гид [т] — ги́ды го́род [т] — города́
клуб [п] — клу́бы раб [п] — рабы́ гриб [п] — грибы́
флаг [к] — фла́ги враг [к] — враги́ блог [к] — бло́ги
глаз [с] — глаза́ расска́з [с] — расска́зы круи́з [с] — круи́зы

2

TB38

ка — ку — ко — ке — ки
ка́рта, Ку́ба, ко́мплекс, раке́та, киломе́тр су́мка — су́мки

га — гу — го — ге — ги
гара́ж, гу́ру, го́род, геро́й, гимна́ст кни́га — кни́ги
Э́то друг [к]. Э́то враг [к]. Э́то флаг [к].

ха — ху — хо — хе — хи
хара́ктер, хулига́н, хор, хи́мик дух — духи́

3

TB39

твёрдые	+	А	У	О	Ы		
мягкие	+	Я	Ю	Е / Ё	И	Ь	

кот — котУ́ — котО́м — котЫ́ гостЬ — го́стЮ — го́стЕм — го́стИ
ма́мА — ма́мУ — ма́мОй — ма́мЫ семьЯ́ — семьЮ́ — семьЁй — се́мьИ

ТУРИСТ — ТУРИСТЫ: PLURAL

Э́то тури́ст.

Э́то тури́сты.

Э́то ро́за.

Э́то ро́зы.

Э́то ко́шка.

Э́то ко́шки.

Спасибо!

Э́то сло́во.

СПАСИБО ВАМ
БОЛЬШОЕ

Э́то слова́.

он m.	она f.	оно n.
-Ы / -И		-А / -Я
магази́н — магази́н**ы** оте́ль — оте́л**и**	маши́на — маши́н**ы** семья́ — се́мь**и**	сло́во — слова́ мо́ре — моря́
к, г, х ч, ш, ж, щ + ~~Ы~~ И (!)		
парк — па́рк**и** врач — врач**и́**	кни́га — кни́г**и** де́вушка — де́вушк**и**	

4

журна́л ....

окно́ ....

балери́на ....

рубль ....

соба́ка ....

письмо́ ....

5

Модель: студе́нт ⇨ студе́нт**ы**
студе́нтка ⇨ студе́нтк**и**

-Ы **-И** **-А**

рестора́н, тури́ст, матрёшка, сайт, газе́та, письмо́, журна́л, кни́га, телефо́н, компью́тер, сло́во, же́нщина, спортсме́н, о́фис, банк, шко́ла, оте́ль, сувени́р

ДРУГ — ДРУЗЬЯ: PLURAL

друг — друзья́ человéк — лю́ди ребёнок — дéти

домá, городá, островá, лесá, поездá, паспортá,
учителя́, профессорá, мастерá, докторá, поварá

дéрево — дерéвья, стул — сту́лья

Всегда plural: дéньги, роди́тели, часы́, очки́, брю́ки, джи́нсы.

6 

Что здесь не так?

Модель: дóллары, рубли́, фрáнки, ~~лю́ди~~

1. городá, у́лицы, такси́сты, автóбусы, магази́ны, киóски
2. такси́сты, экономи́сты, секретари́, компью́теры, ги́ды
3. журнáлы, словá, газéты, солдáты, тéксты
4. студéнты, тури́сты, профессорá, собáки, учителя́, друзья́
5. собáки, дéти, кóшки, ти́гры, жирáфы, крокоди́лы

7   

Слушаем. Пишем номер диалога. Говорим, где это?

ТВ40

Это банк.

Модель: Я ду́маю, что студе́нты мно́го чита́ют, ду́мают и отдыха́ют, ма́ло зна́ют и не рабо́тают.

			знать
			говори́ть
			рабо́тать
	студе́нты	**мно́го**	игра́ть
	де́ти		ду́мать
Я зна́ю, что	же́нщины	**ма́ло**	отдыха́ть
Я ду́маю, что	мужчи́ны		гуля́ть
	поли́тики	**не**	пла́вать
	пенсионе́ры		кури́ть
	дельфи́ны		чита́ть
			смотре́ть телеви́зор

   **Вы согласны? Пишем плюс (+) или минус (–).**

☐ 1. Все мужчи́ны лю́бят маши́ны.
☐ 2. Дельфи́ны говоря́т и всё понима́ют.
☐ 3. Же́нщины не ку́рят.
☐ 4. Поли́тики мно́го говоря́т и ма́ло де́лают.
☐ 5. Тури́сты о́чень лю́бят сувени́ры.
☐ 6. Сейча́с студе́нты ма́ло чита́ют.
☐ 7. Пенсионе́ры не смо́трят телеви́зор.
☐ 8. Бизнесме́ны лю́бят то́лько де́ньги.

  **Когда студенты изучают языки, они спрашивают: вы знаете секреты? Как запомнить слова? Вот методы:**

- чита́ть кни́ги и журна́лы
- де́лать ка́рточки
- смотре́ть фи́льмы и сериа́лы
- слу́шать подка́сты
- чита́ть бло́ги и смотре́ть са́йты
- говори́ть слова́ и фра́зы
- чита́ть словари́
- повторя́ть, повторя́ть, повторя́ть

 **Как вы думаете, все методы работают? Что вы делаете, а что не делаете? А вы знаете секреты? Как вы изучаете языки? Вы помните все слова?**

Урок 9

ФОНЕТИКА

1 Слушаем и повторяем, потом читаем:

ТВ41

ш **ч** **щ** **ж**

[о] — шо — шок — хорошо́
[у] — шу — пишу́ — шу́тка
[а] — ша — ша́пка — Ма́ша — Ми́ша
[э] — ше — шесть — шеф
[ы] — ши — шик — пиши́те — оши́бка

уже́ — ужа́сно — жить — жа́рко — журна́л — пожа́луйста
душ — муж [ш] — гара́ж [ш] — эта́ж [ш]
жар — шар жить — шить жесть — шесть
чай — час — чек — чуть-чу́ть — четы́ре — чемпио́н

2 **ш + ч = щ**

ТВ42

щи — ищи́ що — ещё щу — ищу́
борщ — пло́щадь — о́вощи

сч, жч = [щ]
же́нщина + мужчи́на = **сча́стье**

ТВ43

— У тебя́ есть вре́мя?
— Да, есть.

— У вас есть дипло́м?
— Нет, ещё нет.

— У него́ есть па́спорт?
— Нет, у него́ нет. / Нет, **не́ту**.

— У нас есть биле́ты?
— Да, уже́ есть.

У меня́ есть вопро́с.

— **У вас есть** ви́за?
— Да, есть.

У КОГО ЕСТЬ + NOMINATIVE № 1

У	кого	есть	что
	меня́		
	тебя́		
	него́		
У	**неё**	**ЕСТЬ**	**...**
	нас		
	вас		
	них		

У меня́ есть соба́ка.
У неё есть меда́ли.

Э́то Марк. Он музыка́нт.
У него́ есть гита́ра.

Э́то миллионе́ры.
У них есть всё!

3 **В группе: говорим, что у вас есть. Думаем, это правда или нет:**

Модель:

— У меня́ есть кот. — Э́то пра́вда.
— У меня́ есть пингви́н. — Э́то непра́вда.

4 **А сейчас смотрим на слова и делаем диалоги. Есть — «+» ; нет — «–»:**

Модели:

— У вас есть хо́бби?
— **Да, есть**. А у вас?

— У вас есть дипло́м?
— **Нет, у меня́ нет**. А у вас?

— У тебя́ есть друзья́?
— **Коне́чно, есть**. А у тебя́?

— У тебя́ есть миллио́н?
— **Ещё нет**. А у тебя́?

хо́бби ☐	друзья́ ☐	дипло́м ☐	маши́на ☐	секре́ты ☐	гита́ра ☐
рабо́та ☐	миллио́н ☐	дом ☐	семья́ ☐	пробле́мы ☐	би́знес ☐
пиани́но ☐	тала́нты ☐	меда́ль ☐	секрета́рь ☐	телеви́зор ☐	микро́бы ☐
вре́мя ☐	сайт ☐	тату́ ☐	пижа́ма ☐	ка́ктус ☐	матрёшка ☐
соба́ка ☐	де́ньги ☐	ко́шка ☐	всё ☐	...	...

5

TB44

  **Слушаем и пишем номер диалога. Где это?**

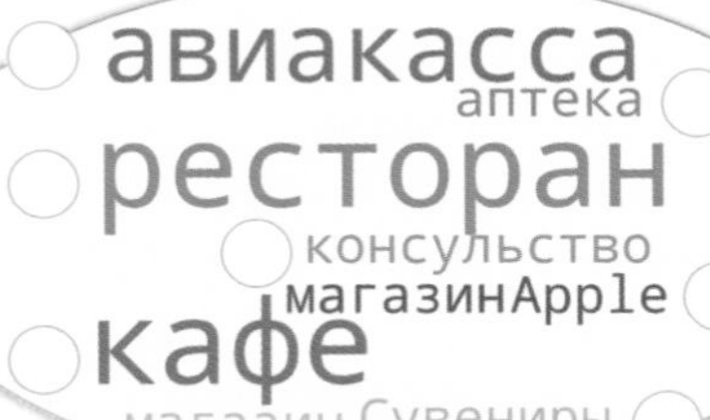

ТОЖЕ = / ЕЩЁ +

Его́ зову́т Бетхо́вен.

=

Его́ **то́же** зову́т Бетхо́вен.

Его́ зову́т Леона́рдо.

=

Его́ **то́же** зову́т Леона́рдо.

— У меня́ есть соба́ка.
— У меня́ **то́же** есть соба́ка. А **ещё** у меня́ есть ко́шка.

— Я студе́нт.
— Я **то́же** студе́нтка. А **ещё** я рабо́таю в кафе́.

6

 **Тоже или ещё?**

1. Я люблю́ тебя́! — Я ________ тебя́ люблю́!
2. Я говорю́ по-англи́йски. — Я ________ говорю́ по-англи́йски. ________ я говорю́ по-ру́сски.
3. У вас есть сувени́ры? — Да, у нас есть матрёшки. — А что ________ у вас есть?
4. Меня́ зову́т Мари́я. — Пра́вда?! А меня́ ________ !
5. Ко́фе, пожа́луйста! И ________ десе́рт!
6. У меня́ есть брат. А ________ у меня́ есть сестра́.
7. У меня́ (есть) пробле́ма. — У меня́ ________ (есть) пробле́мы. Что ________ у тебя́ есть?
8. У меня́ есть де́ньги. — У меня́ ________ есть де́ньги. А ________ у меня́ есть иде́я!

   **Читаем рассказ и отвечаем на вопросы:**

У меня́ есть друг. Его́ зову́т Марк. Он компози́тор. Я ду́маю, что у него́ есть тала́нт. У него́ есть пиани́но, и он мно́го игра́ет.

У него́ есть семья́: жена́ и до́чка. Марк мно́го рабо́тает, но у него́ есть вре́мя отдыха́ть. У него́ есть соба́ка, **поэ́тому** он мно́го гуля́ет.

Ещё он изуча́ет ру́сский язы́к, **потому́ что** его́ жена́ говори́т по-ру́сски. Она́ лю́бит кино́ и теа́тр. Марк то́же лю́бит теа́тр, но абсолю́тно не смо́трит телеви́зор.

 **Правда или нет?**

- ☐ 1. Марк — музыка́нт.
- ☐ 2. У него есть жена́ и сын.
- ☐ 3. Его́ жена́ не смо́трит фи́льмы.
- ☐ 4. Марк ма́ло рабо́тает.
- ☐ 5. Марк игра́ет на пиани́но.
- ☐ 6. У него́ есть соба́ка.

Пересказ:

Меня зовут Марк. Я композитор...

ЛИЧНЫЕ ВЕЩИ

очки́

ру́чка

ключи́

тетра́дь

нау́шники

Что у неё в су́мке?
У неё в су́мке....

Что у него́ в карма́не?
У него́ в карма́не....

слова́рь

де́ньги

А у вас?

каранда́ш

косме́тика

планше́т

заря́дка

Passport

ка́рта

телефо́н

вода́

па́спорт

фле́шка

8

Работа в группе. Спрашиваем и отвечаем. Говорим, что у вас есть.
Игра «Налоговый инспектор»:

У вас есть миллио́н? А миллиа́рд? Дом? О́стров? Кварти́ра? Да́ча? Ви́лла? Би́знес? Офшо́р? Зарпла́та? Соба́ка? Ко́шка? Маши́на? Мотоци́кл? Гара́ж? Сад? Зо́лото? А́кции? Самолёт? Секре́ты?

Урок 10

ФОНЕТИКА

1

TB45

  **Читаем, слушаем и повторяем:**

ай — ой — ей — уй — ый — ий
май, дай, мой, твой, свой, но́вый, ста́рый, хоро́ший, си́ний

2

TB46

— Э́то твоя́ жена́?
— Да, э́то моя́ жена́.

— Э́то твой брат?
— Да, э́то мой брат.

— Э́то твой дом?
— Да, мой.

— Э́то твой биле́т?
— Да, мой.

Э́то Ива́н. Он мой брат.
Э́то Анто́н. Он мой друг.

Но́вый друг. Ста́рый дом. Хоро́ший план.

Кто э́то? — Э́то мой друг.
Кто э́то? — Э́то мой брат.
Кто э́то? — Э́то Ива́н.

3

TB47

тА
муж, дочь
мать, друг
лес, брат
сын, здесь
текст, там

та – тА
гуля́ть, проспе́кт, слова́рь
игра́ть, чита́ть, сестра́
кафе́, язы́к, портре́т
кури́ть, уже́, сосе́д
пото́м, трамва́й, часы́

та – тА – та
рабо́тать, колле́га
профе́ссор, подру́га
авто́бус, пробле́ма
коне́чно, ребёнок
копе́йка, соба́ка

тА – та
де́ти, у́жин, го́род, ма́ма
ду́мать, бе́рег, бра́тья, ро́за
за́втрак, брю́ки, ко́шка, о́стров
ру́сский, бу́ква, лю́ди, сло́во
слу́шать, ве́чер, по́езд, по́мнить

тА – та – та
у́жинать
спра́шивать
за́втракать
у́лица
ба́бушка

та – та – тА
говори́ть
изуча́ть
отвеча́ть
повторя́ть
понима́ть

мой, твой...

Чья э́то маши́на? Ва́ша?
Нет, не моя́!
Чей э́то бага́ж?
Э́то мой бага́ж!

КТО?	ЧЕЙ?	ЧЬЁ?	ЧЬЯ?	ЧЬИ?
я	мой	моё	моя́	мои́
ты	твой дом	твоё ме́сто	твоя́ пробле́ма	твои́ де́ти
мы	наш	на́ше	на́ша	на́ши
вы	ваш	ва́ше	ва́ша	ва́ши
он	его́	брат, сестра́, фо́то, колле́ги		
она́	её	дом, су́мка, письмо́, колле́ги		
они́	их	стол, маши́на, кафе́, де́ньги		

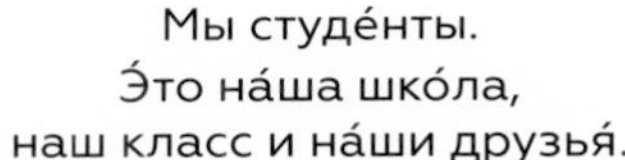

Э́то мой дом
и моя́ де́вушка.

Мы студе́нты.
Э́то на́ша шко́ла,
наш класс и на́ши друзья́.

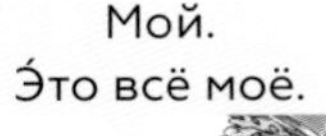

Э́то всё моё.

Выбираем: Чей? Чья? Чьё? Чьи?

.... э́то кни́га?	.... э́то письмо́?	.... э́то докуме́нты?
.... э́то ве́щи?	.... э́то компью́тер?	.... э́то фотогра́фия?
.... э́то дом?	.... э́то ме́сто?	.... э́то ключи́?

5

Моя́ фотогра́фия

Моя́ фами́лия Пушкин

Моё и́мя Александр

Моё о́тчество Сергеевич

Мой а́дрес Санкт-Петербург, наб. реки Мойки, дом. 12

Мои́ де́ти Александр Александрович Пушкин, Наталья Александровна Пушкина, Григорий Александрович Пушкин, Мария Александровна Пушкина

Профе́ссия поэт

Интере́сы поэзия

Гостиничный комплекс «Космос»

Анкета

Имя ....

Фамилия ....

Профессия ....

Интересы ....

Телефон ....

E-mail ....

Адрес ....

6

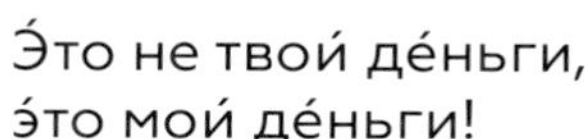

Э́то не твои́ де́ньги, э́то мои́ де́ньги!

Мои́ де́ньги — ва́ши де́ньги!

Ва́ши де́ньги — э́то на́ши де́ньги!

Что говорит эгоист? Что альтруист? А что коммунист?

дом, земля́, де́ньги, ве́щи, у́жин, маши́на, оде́жда

7  **Выбираем: его, её, их.**

Влади́мир и Ка́тя — муж и жена́.

Ка́тя _______ жена́, а Влади́мир _______ муж. А э́то _______ дом, _______ сад, _______ де́ти, _______ су́мка, _______ телеви́зор, _______ подру́га, _______ телефо́н, _______ кни́га, _______ маши́на, _______ докуме́нты, _______ соба́ка, _______ компью́тер, _______ гита́ра, _______ ро́за, _______ ди́ски, _______ журна́л, _______ стол, _______ часы́, _______ костю́м, _______ ка́рты, _______ де́ньги, _______ друг, _______ буты́лка, _______ фотогра́фия.

СЕМЬЯ

БРАТ — БРАТЬЯ: PLURAL

оте́ц	— отцы́	мать	— ма́тери
сын	— сыновья́	дочь	— до́чери
брат	— бра́тья	сестра́	— сёстры
муж	— мужья́	жена́	— жёны

!

8 

ма́ма + па́па = ...

сын + до́чка = ...

муж + жена́ + сын + до́чка = ...

9  **Это семья?**

- Же́нщина + мужчи́на = ?
- Же́нщина + ко́шка = ?
- Мужчи́на + рабо́та = ?
- Мужчи́на + маши́на = ?
- ....

Ваши варианты?

МОЯ СЕМЬЯ

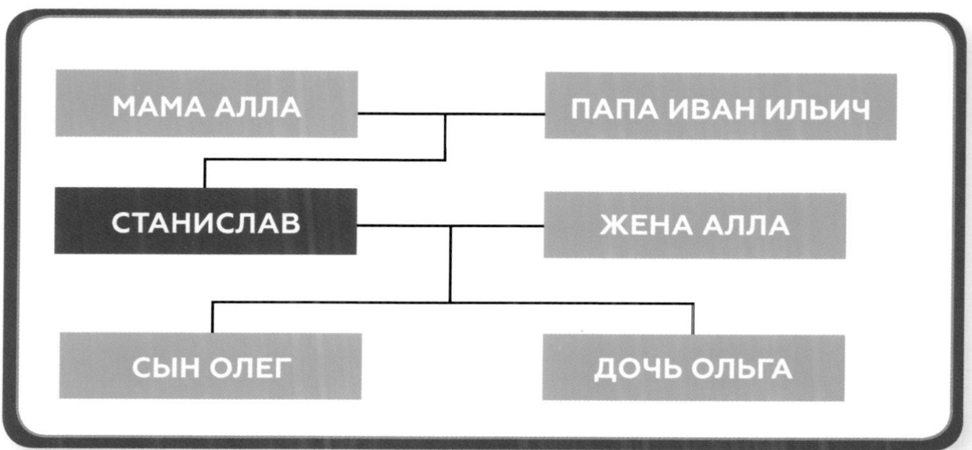

Читаем текст и спрашиваем:

Модель: Меня́ зову́т **Станисла́в**. — **Как** его́ зову́т?

Меня́ зову́т Станисла́в. Я преподава́тель. Я говорю́ по-ру́сски, по-англи́йски, по-францу́зски, а ещё немно́го по-неме́цки и по-италья́нски. Я мно́го чита́ю и о́чень мно́го рабо́таю. У меня́ есть **шко́ла**, и там я дире́ктор. У меня́ есть **хо́бби**: спорт, му́зыка, книги и языки́.

У меня́ есть **роди́тели**. Моя́ ма́ма — **худо́жник**. Её зову́т А́лла Саве́льевна. Она́ сейча́с не рабо́тает, потому́ что она́ пенсионе́рка. Ма́ма то́же мно́го чита́ет: **кни́ги** и **но́вости**. Её дом как музе́й. Я о́чень люблю́ **её** карти́ны. **Моя́** ма́ма — фантазёрка и рома́нтик.

Мой па́па — фото́граф и поэ́т, у него́ есть тала́нт. Его́ зову́т **Ива́н Ильи́ч**. Он о́чень мно́го зна́ет. Па́па чита́ет **кни́ги** и газе́ты, пото́м мы **у́жинаем** и **говори́м**. Он то́же рома́нтик.

Ещё **у меня́** есть жена́ и де́ти: сын и дочь. Моя́ жена́ **учи́тель**, как я. Я о́чень её люблю́. И она́ то́же А́лла, как моя́ ма́ма. Э́то интере́сно, пра́вда? А́лла — **фило́соф**. Она́ мно́го ду́мает и говори́т. Она́ **мой** друг.

Наш сын — **студе́нт**. Его́ зову́т **Оле́г**. Он не рома́нтик, он **матема́тик**. У него́ то́же есть хо́бби: эконо́мика, му́зыка и спорт.

На́ша до́чка шко́льница. Её зову́т **О́ля**. У неё есть **соба́ка**. Они́ друзья́. Соба́ка слу́шает и де́лает, что говори́т О́ля. О́ля **ма́ло** чита́ет, потому́ что у неё есть компью́тер, телефо́н и Интерне́т. Она́ о́чень лю́бит смотре́ть фи́льмы, игра́ть и говори́ть по телефо́ну. Ещё она́ рабо́тает, она **волонтёр**.

Пересказ: Меня́ зову́т О́ля. Я шко́льница. У меня есть...

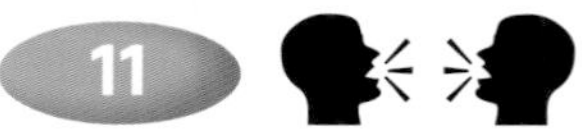

Работа в паре. Спрашиваем и рисуем семью партнёра:

— У тебя́ есть па́па / ма́ма... ?
— Как его́ / её зову́т?
— Кто он / она́?
— Он / она́ мно́го рабо́тает / чита́ет... ?
— Что он / она́ лю́бит де́лать?
— Что у него́ / у неё есть?

Урок 11

PREPOSITIONAL № 6

ГДЕ

он m.	оно n.	она f.
-Е	-Е	-Е
университе́т Где? — В университе́те.	письмо́ Где? — В письме́.	шко́ла Где? — В шко́ле.
Берли́н Где? — В Берли́не.	мо́ре Где? — На мо́ре.	Москва́ Где? — В Москве́.
		-И Сиби́рь Где? — В Сиби́ри.

Где? — До́ма. Где? — В метро́. Где? — В кино́. Где? — В бюро́.

!

Э́то Санкт-Петербу́рг. Где Эрмита́ж? — В Санкт-Петербу́рге.
Э́то Москва́. Где Кремль? — В Москве́.

1 

банк — в ....

о́фис — в ....

у́лица — на ....

рабо́та — на ....

Аме́рика — в ....

Евро́па — в ....

клуб — в ....

семья́ — в ....

он m.	оно n.	она f.
-ИЙ коммента́рий	-ИЕ зада́ние	-ИЯ Росси́я
в коммента́рии	-ИИ в зада́нии	в Росси́и

СТРАНЫ И ГОРОДА

Голла́ндия — в ....
Германия — в ....
Австра́лия — в ....
А́нглия — в ....
Испа́ния — в ....
Ту́рция — в ....
Фра́нция — во ....
Япо́ния — в ....
И́ндия — в ....

3

Модель:
Где Москва́? — В Росс**и́и**.

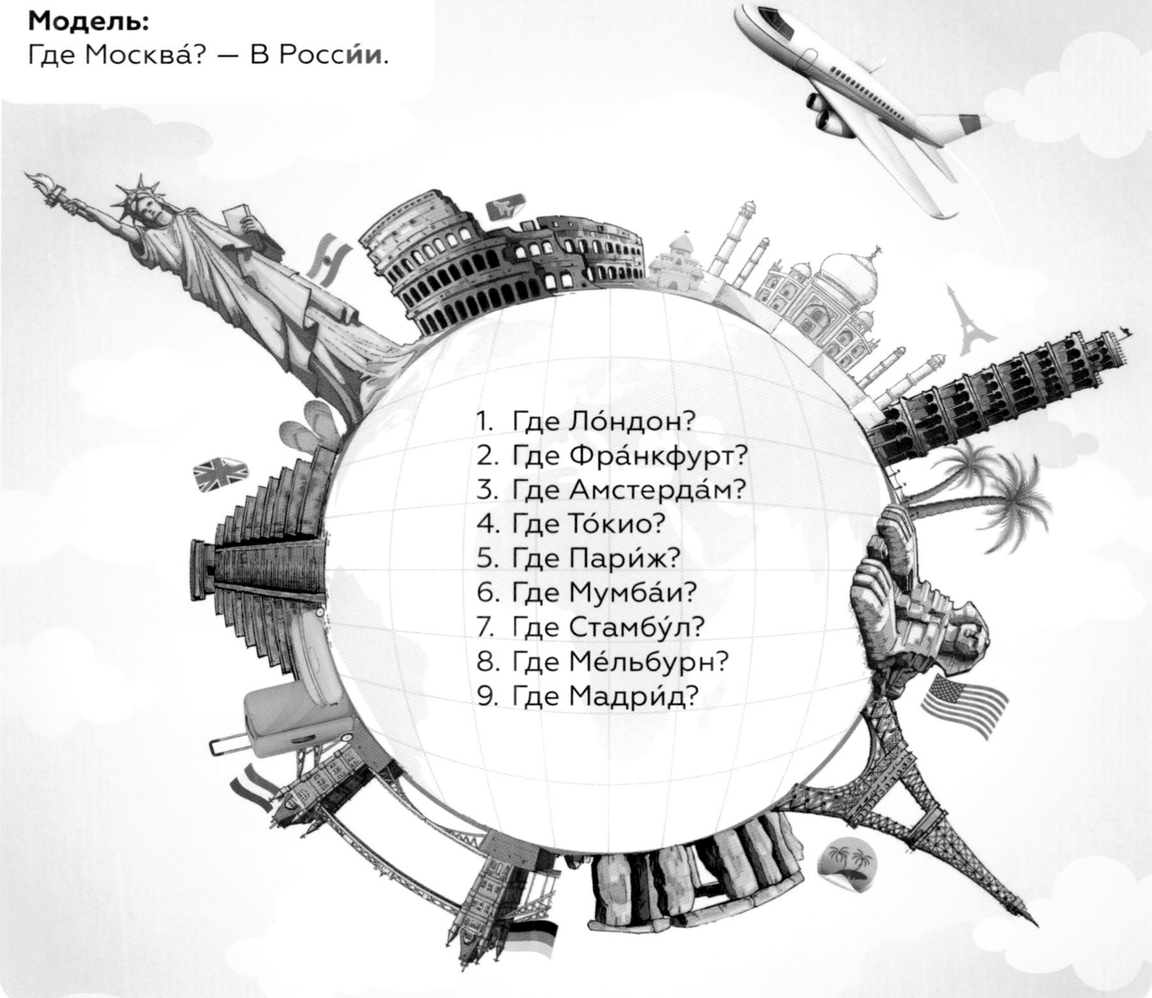

1. Где Ло́ндон?
2. Где Фра́нкфурт?
3. Где Амстерда́м?
4. Где То́кио?
5. Где Пари́ж?
6. Где Мумба́и?
7. Где Стамбу́л?
8. Где Ме́льбурн?
9. Где Мадри́д?

СТРАНЫ

4 **Где на карте эти страны?**

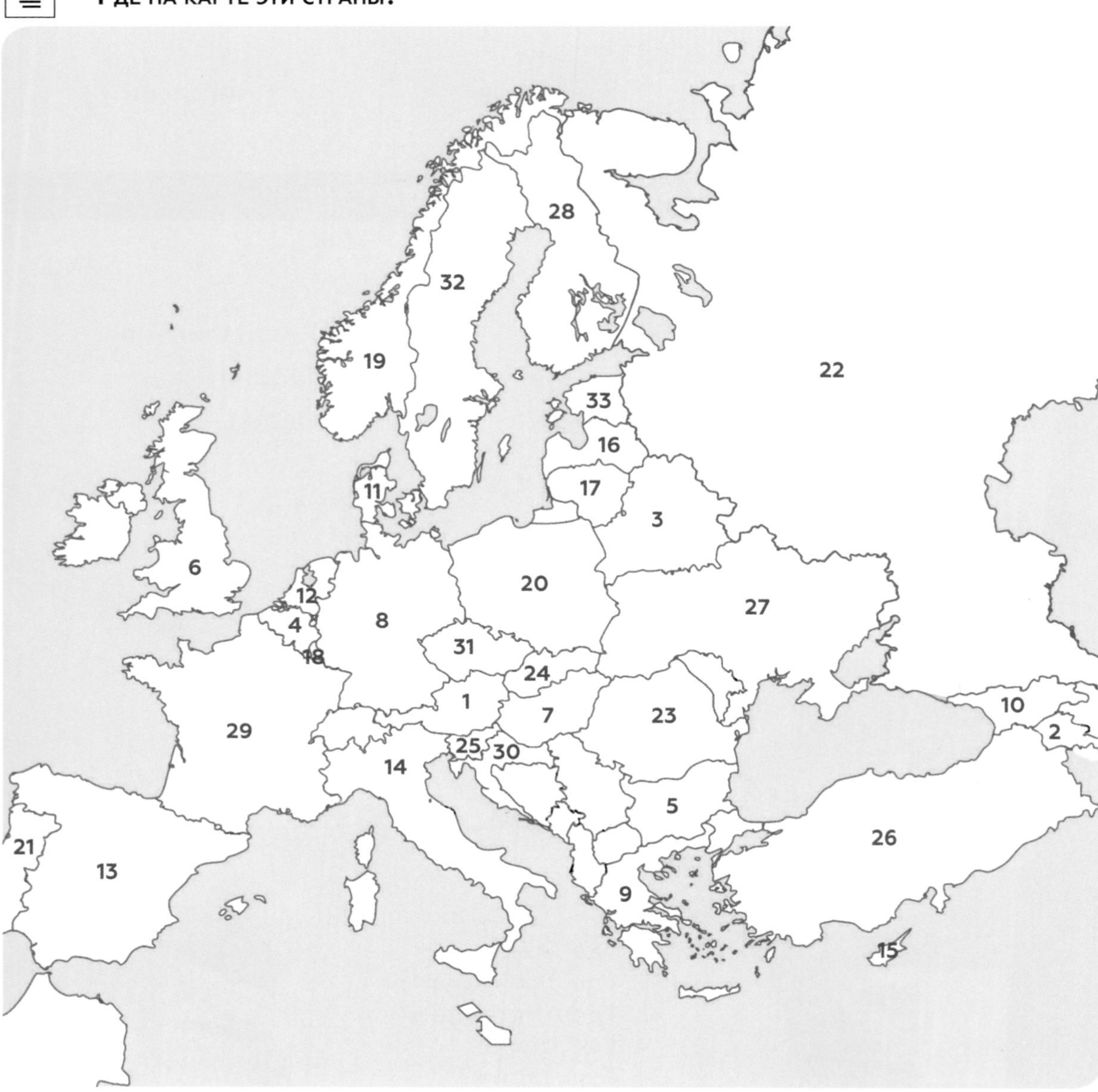

Евро́па:

- ☐ А́встрия
- ☒ 2 Арме́ния
- ☐ Белору́ссия
- ☐ Бе́льгия
- ☐ Болга́рия
- ☐ Великобрита́ния
- ☐ Ве́нгрия
- ☐ Герма́ния
- ☐ Гре́ция
- ☐ Гру́зия
- ☐ Да́ния
- ☐ Нидерла́нды
- ☐ Испа́ния
- ☐ Ита́лия
- ☐ Кипр
- ☐ Ла́твия
- ☐ Литва́
- ☐ Люксембу́рг
- ☐ Норве́гия
- ☐ По́льша
- ☐ Португа́лия
- ☐ Росси́я
- ☐ Румы́ния
- ☐ Слова́кия
- ☐ Слове́ния
- ☐ Ту́рция
- ☐ Украи́на
- ☐ Финля́ндия
- ☐ Фра́нция
- ☐ Хорва́тия
- ☐ Че́хия
- ☐ Шве́ция
- ☐ Эсто́ния

А они где?

Алба́ния
Бо́сния
Ирла́ндия
Македо́ния
Молда́вия
Се́рбия
Черного́рия
Швейца́рия

Аме́рика:
- [1] Аме́рика
- ☐ Аргенти́на
- ☐ Брази́лия
- ☐ Кана́да
- ☐ Ку́ба
- ☐ Ме́ксика

А́зия:
- ☐ Вьетна́м
- ☐ И́ндия
- ☐ Кита́й
- ☐ Монго́лия
- ☐ Сингапу́р
- ☐ Таила́нд
- ☐ Ту́рция
- ☐ Япо́ния

А́фрика:
- ☐ Еги́пет
- ☐ Туни́с

☐ **Австра́лия**

— **Где** лю́ди говоря́т по-англи́йски?
— **Мно́го где**. Наприме́р, в А́нглии, в Аме́рике, в Австра́лии.
— **Где** лю́ди говоря́т по-италья́нски?
— **Ма́ло где**, то́лько в Ита́лии.

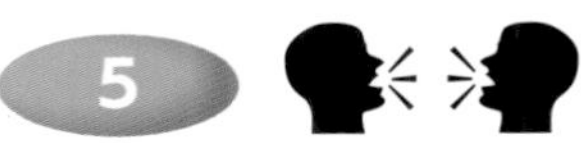

- **Где люди говорят по-русски, по-французски, по-немецки и по-испански?**
- **Где пирамиды, кенгуру, море, джунгли, сафари, Альпы, Сибирь, вулканы, фьорды, кризис, война, монархия, карнавалы?**
- **Где ваша семья?**
- **Где у вас есть друзья, бизнес-партнёры, дом, деньги?**

ГДЕ ЕСТЬ + NOMINATIVE № 1

В Евро́пе В Аме́рике В Таила́нде	ЕСТЬ	культу́ра, теа́тры, музе́и... де́ньги, би́знес, университе́ты... мо́ре, фру́кты, тури́сты...

В Росси́и **есть** культу́ра и ресу́рсы.

В Швейца́рии **есть** ба́нки и шокола́д.

В А́фрике **есть** сафа́ри-па́рки.

6 **Спрашиваем и отвечаем:**

- Что есть в Евро́пе?
- Что есть в Нью-Йо́рке?
- Что есть в Росси́и?
- Что есть в Кита́е?
- Что есть в Австра́лии?
- Что есть в Брази́лии?

7

Со́чи

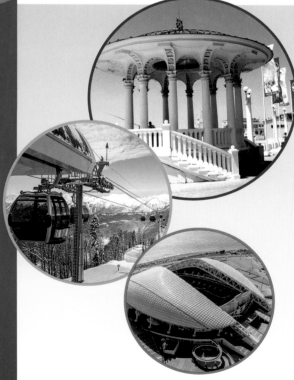

Все зна́ют, что в Росси́и есть Москва́, Санкт-Петербу́рг и Сиби́рь. А вы зна́ете, что в Росси́и есть субтро́пики? Э́то го́род Со́чи! Со́чи — э́то о́тдых и спорт, со́лнце и комфо́рт, тури́зм и Олимпиа́да. Там есть мо́ре, пля́жи и па́льмы. Но э́то не всё. Ещё там есть гости́ницы и стадио́ны, го́ры и снег. Тури́сты и спортсме́ны о́чень лю́бят там отдыха́ть.

жить

я живу́	мы живём
ты живёшь	вы живёте
он/она́ живёт	они́ живу́т

8 

— Где ты .... ?
— Я .... в ....

— Где вы .... ?
— Мы .... в ....

Дельфи́ны .... в мо́ре.
Кенгуру́ не .... в А́встрии.

Жира́фы .... в А́фрике.
Медве́ди .... в Росси́и.

лес — в лесу́
сад — в саду́
шкаф — в шкафу́
пол — на полу́
у́гол — в/на углу́
Крым — в Крыму́
бе́рег — на берегу́
мост — на мосту́
порт — в порту́
аэропо́рт — в аэропорту́

9  **Где Маша?**

в аэропорту́
на берегу́
в углу́
на углу́
в саду́
в шкафу́
на полу́
на мосту́

Урок 12

КАК ДЕЛА?

— Здра́вствуйте!

Как дела́?

— Приве́т!

Как жизнь?

— Спаси́бо,

отли́чно 

хорошо́ 

норма́льно/ничего́ 

та́к себе,
не о́чень 

пло́хо 

ужа́сно 

TB48

— Приве́т, Сла́ва! **Как дела́**?
— Ужа́сно! Я банкро́т. **А у тебя́**?
— Спаси́бо, непло́хо!

— Приве́т, **как жизнь**?
— Спаси́бо, хорошо́. **А у тебя́**?
— То́же норма́льно.

— Здра́вствуй!
— Здра́вствуй-здра́вствуй.
— **Как жизнь**?
— Та́к себе. Как ты?
— То́же не о́чень.

— Здра́вствуйте!
— Здра́вствуйте!
— **Как дела́?**
— Спаси́бо, отли́чно. **А у вас?**
— Спаси́бо, ничего́.

КАК?

хорошо́ — пло́хо
интере́сно — ску́чно
легко́ — тру́дно
до́рого — дёшево

хо́лодно — тепло́ — жа́рко
краси́во
ве́село
опа́сно
ужа́сно

В Таила́нде краси́во, тепло́ и интере́сно. Там прия́тно отдыха́ть.

В Норве́гии комфо́ртно, но до́рого. Там о́чень хорошо́ жить.

В А́фрике интере́сно, но опа́сно и жа́рко. Там тру́дно жить.

  **Да или нет?**

Модель: В А́рктике жа́рко. — **Нет**. В А́рктике **не** жа́рко, там хо́лодно.

В Пра́ге ску́чно. — ....
В Мила́не краси́во. — ....
В Еги́пте опа́сно. — ....
В А́фрике хо́лодно. — ....
В И́ндии до́рого. — ....

Ваши идеи:

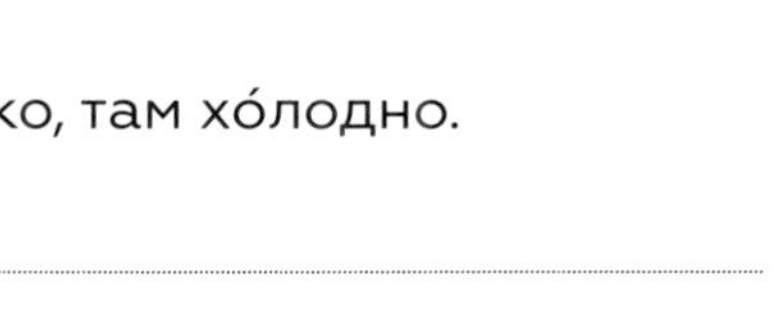

Ита́лия, Австра́лия, Кана́да, Росси́я, Герма́ния, Брази́лия

   **А сейчас читаем, думаем и отвечаем на вопросы:**

- Где хо́лодно, а где жа́рко?
- Где опа́сно? Где неопа́сно?
- Где краси́во? А где некраси́во?
- Где хорошо́ жить, а где пло́хо?
- Где интере́сно рабо́тать, а где ску́чно?
- Где до́рого отдыха́ть, а где дёшево?
- Что тру́дно де́лать, а что легко́?

Смотрим на слова. Где интернациональные слова? Вы знаете их?

страна́, о́стров, контине́нт, джу́нгли, пляж, го́ры, пирами́да, пингви́н, карти́на, скульпту́ра, культу́ра, исто́рия, часы́, су́ши, шокола́д, мужчи́ны, день и ночь, всё вре́мя

Вы знаете эти страны? Как там? Что там есть?

Кита́й	Швейца́рия	Ватика́н	Аме́рика
Испа́ния	Япо́ния	Антаркти́да	Ме́ксика

ТВ49

Слушаем и пишем. Думаем, где это: в Китае, в Швейцарии, в Ватикане, в Америке, в Мексике, в Антарктиде, в Испании или в Японии?

1. Э́та страна́ — фанта́стика! Здесь __________ по-испа́нски. Здесь есть мо́ре, __________ , пля́жи, джу́нгли и пирами́ды ма́йя. И коне́чно, теки́ла. Здесь не о́чень __________ , но о́чень __________ .

2. Э́то не __________ . Э́то контине́нт. Здесь о́чень __________ . Лю́ди здесь не __________ , то́лько пингви́ны.

3. Э́то о́стров. Лю́ди мно́го __________ : де́лают мотоци́клы, __________ и телеви́зоры. Здесь есть импера́тор, са́кура, ге́йши и ро́боты. А ещё э́то __________ су́ши, аниме́, сумо́ и карате́.

4. Э́то страна́, где все то́же мно́го рабо́тают. Она́ как фа́брика. Там __________ всё. Лю́ди там ма́ло __________ и рабо́тают день и ночь. В __________ капитали́зм, а в поли́тике коммуни́зм. Ещё здесь есть __________ и исто́рия.

5. Здесь __________ го́ры, ба́нки и шокола́д. Здесь всё о́чень __________ . Лю́ди рабо́тают в __________ и́ли де́лают часы́. Здесь демокра́тия, и всё вре́мя рефере́ндумы.

6. Здесь живу́т то́лько __________ . Они́ __________ лати́нский язы́к. Здесь есть музе́й, в музе́е тури́сты __________ карти́ны и скульпту́ры и де́лают фотогра́фии. Здесь есть па́па, но нет ма́мы.

ГЛАГОЛ: PAST TENSE

— Быть и́ли не быть?
— Быть!

быть — бы-ть —	бы + **л**	он был
	бы + **л** + **а**	она́ была́
	бы + **л** + **о**	оно́ бы́ло
	бы + **л** + **и**	они́ бы́ли

		-л	-ла	-ли
игра́ть	—	он игра́л	она́	они́ ....
рабо́тать	—	он	она́	они́ ....
чита́ть	—	он	она́	они́ ....
говори́ть	—	он	она́	они́ ....

вчера́ недáвно год наза́д ра́ньше

Сего́дня О́скар рабо́та**ет**.
Сейча́с А́нна жив**ёт** на мо́ре.

Сейча́с мы в университе́те.
Сейча́с хо́лодно.

Вчера́ О́скар не рабо́та**л**.
Ра́ньше А́нна жи**ла́** в го́роде.

Год наза́д мы **бы́ли** в шко́ле.
Неда́вно **бы́ло** тепло́.

 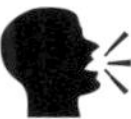 **Что они делали вчера? А когда вы это делали?**

УЖЕ / ЕЩЁ

— У меня́ **уже́** есть ры́ба! — А у меня́ **ещё** нет!

5 лет **16 лет** **65 лет** **80 лет**

Он **ещё** не рабо́тает.

Он **уже́** рабо́тает.

Он **ещё** рабо́тает.

Он **уже́** не рабо́тает.

5   **Уже или ещё?**

Модель:

Э́то ребёнок. Он **ещё** не говори́т, но **уже́** челове́к.

Я **уже́** миллионе́р, но **ещё** мно́го рабо́таю!

Я **уже́** изуча́ю ру́сский, но **ещё** не говорю́.

1. Де́ти уже́ до́ма? — Нет, они́ .... в шко́ле.
2. Когда́ экза́мен? — Я .... не зна́ю.
3. Я ба́рмен. Все уже́ отдыха́ют, а я .... рабо́таю.
4. Ты уже́ обе́даешь? — Нет, я .... за́втракаю.
5. У вас есть дипло́м? — Нет, ... нет.
6. Я уже́ говорю́ по-япо́нски, но .... не чита́ю.
7. Вы уже́ рабо́таете? — Нет, мы .... студе́нты.
8. Ты ещё рабо́таешь? — Нет, я .... пенсионе́р.
9. У вас уже́ есть дом? — Нет, мы .... его́ стро́им.
10. Вы уже́ всё зна́ете? — .... нет.

Модель:
— Вы игра́ли в теа́тре?
— Да, игра́л в шко́ле.

— Приве́т! Ты уже́ смотре́л но́вости?
— Нет, ещё не смотре́л. А что?

смотре́ть бале́т	сего́дня за́втракать	чита́ть кни́ги по-ру́сски
изуча́ть испа́нский	игра́ть на пиани́но	рабо́тать в кафе́
де́лать тату́	пла́вать в океа́не	жить на о́строве
отдыха́ть в А́зии	игра́ть в казино́	быть в Росси́и

   **Слушаем и пишем, где они были и что они делали.**

ТВ50

де́лать уро́ки, бале́т, кинофестива́ль, океа́н, на пе́нсии, кла́ссно

Кто?	Где бы́ли?	Что де́лали?
О́льга		
И́горь		
Ди́ма		
Ка́тя		
Влади́мир		
Свен		
Светла́на		
Пётр		

  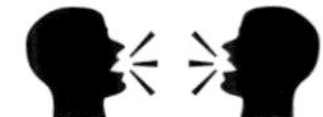 

ТВ51

Читаем тексты, спрашиваем, отвечаем и пишем слова. Текст 1 — здесь, текст 2 — в рабочей тетради. Студент 1 спрашивает, студент 2 отвечает, потом наоборот. Вопросы: Кто? Что? Где? Что они делали? Потом слушаем и проверяем:

Студе́нт 1

1. ______________ был в Аме́рике. Он смотре́л музе́и в ______________, гуля́л в па́рке в Нью-Йо́рке, пла́вал в океа́не и отдыха́л на ______________ во Флори́де. Во Флори́де бы́ло жа́рко.

2. Светла́на Па́вловна была́ на да́че. Она́ де́лала ______________ и мно́го рабо́тала в саду́. Э́то бы́ло тру́дно, но она́ говори́т, что она́ ______________.

3. И́горь и О́льга бы́ли в ______________. Они́ отдыха́ли на пля́же и ______________ в мо́ре, смотре́ли ______________ и ______________ в Вене́ции, смотре́ли музе́и в Ватика́не. В Ита́лии бы́ло краси́во и интере́сно.

А где вы были? Что вы там делали?

В / НА

В	НА
в го́роде, в стране́	на се́вере, на ю́ге, на восто́ке, на за́паде на о́строве
в мо́ре, в реке́, в о́зере, в океа́не (в воде́)	на реке́, на мо́ре, на о́зере, на океа́не (на берегу́) 
в па́рке, в лесу́, в саду́ 	на у́лице, на проспе́кте, на пло́щади на стадио́не, на ры́нке 
в теа́тре в клу́бе в о́фисе в университе́те, в шко́ле в музе́е в рестора́не 	на бале́те, на о́пере  на конце́рте на рабо́те на ле́кции, на уро́ке, на экза́мене на вы́ставке, на экску́рсии на обе́де, на встре́че
в Интерне́те в «Фейсбу́ке» в «Ска́йпе» в бло́ге, в ча́те	на са́йте на страни́це на фо́руме

на фа́брике, на заво́де,
на вокза́ле, на ста́нции,
на фе́рме, на по́чте

1  **В/на:**

1. .... шко́ле	6. .... рабо́те	11. .... университе́те
2. .... конце́рте	7. .... Ло́ндоне	12. .... ле́кции
3. .... ба́ре	8. .... Тенери́фе	13. .... уро́ке
4. .... кафе́	9. .... па́рке	14. .... суперма́ркете
5. .... встре́че	10. .... це́нтре	15. .... у́лице

  **Марсианин не знает, где и что делать. Вы тоже так делаете?** 

рабо́та

Он гуля́ет **на рабо́те**,

у́лица

обе́дает ……………………,

бале́т

чита́ет ……………………,

лес

у́жинает ……………………,

бар

живёт ……………………,

конце́рт

за́втракает ……………………,

банк

отдыха́ет ……………………,

аэропо́рт

ку́рит ……………………,

шко́ла

слу́шает конце́рты ……………………,

дом

игра́ет в футбо́л ……………………,

аква́риум

пла́вает ……………………,

рабо́та

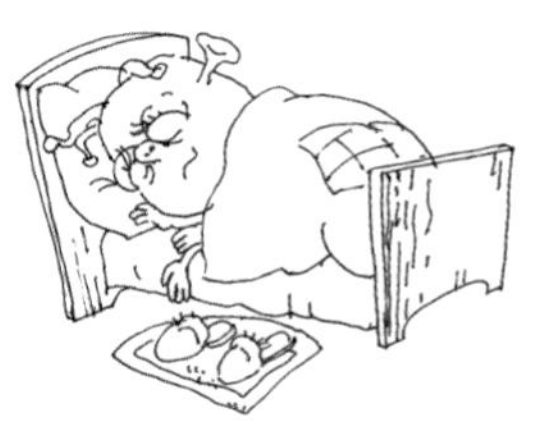

спит …………………… .

TB52

3  **Слушаем вопросы, смотрим на картинки и отвечаем.**

Модель: — Алло́! Ты на рабо́те?
— Нет, я в рестора́не.

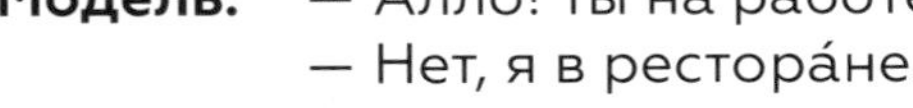

Нет, я в рестора́не.

У МЕНЯ + ГДЕ...

  **Читаем, играем:**

 У меня́  есть навига́тор. А у вас?

 У меня́  есть компью́тер и докуме́нты. А у вас?

 У неё  есть телефо́н и де́ньги. А у вас?

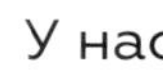 У нас  есть Интерне́т. А у вас?

У меня́  есть кот и соба́ка. А у вас?

 **Где ваши ... ?**

ключи, деньги, телефон, документы, машина, фото, очки, косметика

ИГРЫ И СПОРТ — МУЗЫКАЛЬНЫЕ ИНСТРУМЕНТЫ

	во что?		на чём?
игра́ть **В** **+ Accus.**	те́ннис футбо́л хокке́й ша́хматы ка́рты баскетбо́л	игра́ть **НА** **+ Prep.**	гита́ре фле́йте скри́пке бараба́не саксофо́не пиани́но

5

Интере́сно игра́ть...
Ску́чно игра́ть...
Тру́дно игра́ть...
Легко́ игра́ть...
Я хочу́ игра́ть...
Я не хочу́ игра́ть...

6 **Что они любят и не любят делать? А вы?**

Во что и на чём популярно играть у вас в стране?
Во что и на чём вы играете или не играете?

ВСЕГДА / КАЖДЫЙ ДЕНЬ / ЧАСТО / ИНОГДА / НИКОГДА (НЕ)

Я **всегда́** говорю́ «спаси́бо».
Де́ти и соба́ки **ка́ждый день** гуля́ют на у́лице.
Я **ча́сто** смотрю́ фи́льмы в Интерне́те.
Мы **иногда́** у́жинаем в рестора́не.
Я **никогда́ не** говорю́ «никогда́».

Спрашиваем и отвечаем:

Модель: — Вы **ча́сто** за́втракаете в кафе́?
— Нет, я **никогда́ не** за́втракаю в кафе́, я там **иногда́** у́жинаю.

за́втракать в кафе́
у́жинать в рестора́не
смотре́ть телеви́зор
смотре́ть футбо́л на стадио́не
смотре́ть сериа́лы в Интерне́те
отдыха́ть на мо́ре
говори́ть до́ма по-ру́сски
игра́ть в ка́рты
игра́ть в бо́улинг
покупа́ть проду́кты

А сейчас ваши вопросы (минимум 3).

«Что на́ша жизнь? Игра́!»

Вы то́же ду́маете, что на́ша жизнь — игра́? Ва́ша жизнь как ка́рты, как руле́тка, как ша́хматы и́ли как баскетбо́л?

Как вы ду́маете, когда́ де́ти игра́ют на гита́ре и́ли пиани́но, — э́то хорошо́? И́ли э́то глу́по, е́сли му́зыка не их профе́ссия?

В футбо́л игра́ют миллионе́ры, а лю́бят смотре́ть футбо́л хулига́ны. Как вы ду́маете, почему́?

Хорошо́, когда́ ма́льчик игра́ет в футбо́л, а де́вочка игра́ет на фле́йте. И́ли э́то нева́жно?

Говоря́т, ру́сские как де́ти: мы лю́бим игра́ть. Ра́ньше аристокра́ты всё вре́мя игра́ли в ка́рты, да́же писа́тели-кла́ссики: и Пу́шкин, и Толсто́й, и Достое́вский. Но бы́ло популя́рно игра́ть не то́лько в ка́рты! Лю́ди мно́го игра́ли в ша́хматы, наприме́р.

А ещё, коне́чно, у нас есть му́зыка и спорт! В Росси́и де́ти ча́сто игра́ют на пиани́но, на скри́пке и́ли на гита́ре. Иногда́ пото́м э́то профе́ссия, а иногда́ — хо́бби. В результа́те в Аме́рике и в Евро́пе в орке́стре ча́сто есть на́ши музыка́нты.

Мы живём на се́вере, зимо́й здесь хо́лодно, поэ́тому де́ти мно́го игра́ют в хокке́й. Ле́том популя́рно игра́ть в футбо́л, но в Росси́и говоря́т: «Мы лю́бим футбо́л, но футбо́л не лю́бит нас». И коне́чно, де́ти сего́дня мно́го игра́ют в и́гры в Интерне́те. На́ша жизнь — игра́? Мо́жет быть. Но е́сли вы игра́ете на скри́пке и́ли на фле́йте, в волейбо́л и́ли в те́ннис, игра́ — э́то жизнь!

- **На чём любят играть люди в России?**
- **Во что любят играть люди в России? А у вас в стране?**
- **Во что раньше играли писатели и поэты? А во что они играют сейчас?**
- **Какие игры в Интернете вы знаете? Как вы думаете, когда дети играют в Интернете, — это опасно или нет?**

Урок 14

ACCUSATIVE № 4

КТО? **КОГО?**

КТО? **ЧТО?**

m.	n.	f.	pl.
= Nom.		-У/-Ю	= Nom.
		-Ь	

Это журна́л.
Я чита́ю журна́л.

Это письмо́.
Я чита́ю письмо́.

Это кни́га.
Я чита́ю кни́гУ.

Это газе́ты.
Я чита́ю газе́ты.

Это де́вушка. ⇨ Я люблю́ де́вушку.
Это пи́цца. ⇨ Я люблю́ пи́ццу.
Это маши́на. ⇨ Я покупа́ю маши́ну.
Это коме́дия. ⇨ Я смотрю́ коме́дию.

AccUsative
-А ⇨ -У
-Я ⇨ -Ю

Это Анто́н. Это А́нна.
Анто́н лю́бит А́нну. = А́нну лю́бит Анто́н.
Ко́шка лю́бит ры́бу. = Ры́бу лю́бит ко́шка.

Ры́ба не лю́бит ко́шку. Почему́?

1  **Говорим:**  **или** 

Модель: Ко́шка **не лю́бит** соба́ку.

1. Ко́шка — соба́ка, свобо́да, дом, мы́шка...
2. Мужчи́на — же́нщина, рабо́та, маши́на, спорт, свобо́да...
3. Же́нщина — семья́, карье́ра, мужчи́на, косме́тика, де́ньги...
4. Студе́нты — кани́кулы, грамма́тика, экза́мены, му́зыка, поли́тика...

2 

- Что вы лю́бите слу́шать?
- Что вы не слу́шаете?
- Что вы слу́шаете в маши́не?

рок	кла́ссика	поп-му́зыка
рэп	фолк	о́пера
джаз	кри́тика	пра́вда
пе́сня	комплиме́нты	ра́дио

- Что вы смо́трите ча́сто?
- Что вы не смо́трите?
- Что смо́трят де́ти?
- Что глу́по смотре́ть?

телеви́зор	сериа́лы	но́вости
Олимпиа́да	футбо́л	коме́дии
бокс	мелодра́ма	ток-шо́у
рекла́ма	три́ллеры	мультфи́льмы

- Что вы регуля́рно чита́ете?
- Что вы чита́ли ра́ньше?
- Что чита́ть тру́дно?
- Что чита́ть глу́по?

кла́ссика	детекти́вы	но́вости
фанта́стика	коммента́рии	спам

- Что вы покупа́ете ча́сто?
- Что вы покупа́ете ре́дко?
- Что вы покупа́ете в Интерне́те?
- Что вы никогда́ не покупа́ли?

ко́ка-ко́ла	оде́жда	му́зыка
проду́кты	матрёшка	во́дка
дом	маши́на	кварти́ра
кни́ги	биле́ты	витами́ны

- Что вы изуча́ли в шко́ле?
- Что вы изуча́ли в университе́те?
- Что изуча́ть интере́сно, ску́чно, тру́дно?

исто́рия	эконо́мика
литерату́ра	психоло́гия
биоло́гия	матема́тика
медици́на	хи́мия
гене́тика	языки́
геогра́фия	ма́гия

ХОТЕТЬ

я хочу́	мы хоти́м
ты хо́чешь	вы хоти́те
он/она́ хо́чет	они́ хотя́т

1. Я .... всё знать.
2. Что вы .... ?
3. Де́ти .... соба́ку.
4. Соба́ка .... гуля́ть.
5. Студе́нты .... свобо́ду.
6. Кто .... пи́ццу?
7. Ра́ньше все .... маши́ну.
8. Что ты .... ?
9. Вчера́ я не .... рабо́тать.
10. Лю́ди .... жить краси́во!

- Где вы хоти́те жить?
- Где и как вы хоти́те отдыха́ть?
- Где вы хоти́те рабо́тать?
- Что вы хоти́те де́лать сего́дня ве́чером?
- Что вы не хоти́те покупа́ть?
- Почему́ вы хоти́те изуча́ть ру́сский язы́к?

  **Смотрим на слова, потом спрашиваем и отвечаем:**

— Ты лю́бишь му́зыку?
— Да, я о́чень люблю́ му́зыку. А ты?

— Ты хо́чешь ко́фе?
— Да, я всегда́ хочу́ ко́фе. А ты?
— Я не хочу́ ко́фе. Я хочу́ во́ду.

му́зыка	футбо́л	рабо́та	ко́фе	го́ры
поли́тика	свобо́да	пра́вда	пробле́мы	мо́ре
кри́тика	экза́мены	спорт	пи́во	татуиро́вка
кла́ссика	ко́ка-ко́ла	де́ньги	рекла́ма	магази́ны
пи́цца	маши́на	шко́ла	жизнь	комплиме́нты

Все лю́бят...
Никто́ не лю́бит...

Все хотя́т...
Никто́ не хо́чет...

МОЖНО + ACCUSATIVE № 4

— Мо́жно бефстро́ганов и сала́т?
— А я хочу́ ры́бу, во́ду и ко́фе.
— Мо́жно пи́ццу и ко́лу?
— А мо́жно па́сту и десе́рт?

5   **Читаем меню и делаем заказ:**

Меню

ПИЦЦА 200 руб.	**ПАСТА** 150 руб.
ЧИЗБУРГЕР 45 руб.	**САЛАТ** 70 руб.
СУП 60 руб.	**ДЕСЕРТ** 100 руб.

ЭСПРЕССО	КАПУЧИНО	ЧАЙ	ПИВО	ВОДА
45 руб.	90 руб.	90 руб.	150 руб.	70 руб.

6 Слушаем диалоги, ищем картинки и пишем. Что они хотят?

TB53

7

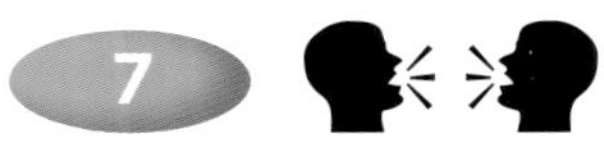

Играем в паре. У вас есть партнёр. Что у него есть? Вы просите, что хотите:

— Мóжно ... ?
— Да, пожáлуйста!

— Мóжно ... ?
— Да, конéчно!

— Мóжно ... ?
— На!

8

Как вы думаете, что люди хотели раньше и что они хотят сейчас? Почему?

Модель:
Рáньше мужчи́ны хотéли ... , а сейчáс они́ хотя́т ... **маши́на/лóшадь**
Рáньше мужчи́ны хотéли **лóшадь**, а сейчáс они́ хотя́т **маши́ну.**

1. Рáньше жéнщины хотéли .... , а сегóдня они́ хотя́т ....
   семья́/карьéра
2. Рáньше мужчи́ны хотéли .... , а сейчáс хотя́т ....
   карьéра в би́знесе / карьéра в áрмии
3. Рáньше дéти хотéли .... , а сейчáс хотя́т ....
   игрáть в Интернéте / игрáть на ýлице
4. Рáньше студéнты хотéли изучáть .... , а сегóдня студéнты хотя́т изучáть .... эконóмика и мéнеджмент / истóрия и литератýра
5. Рáньше все хотéли читáть .... , а сейчáс все хотя́т смотрéть .... ви́део / литератýра
6. Рáньше пýблика хотéла слýшать .... , а сегóдня пýблика хóчет слýшать .... óпера / поп-мýзыка
7. Рáньше писáтели хотéли писáть .... , а сегóдня хотя́т писáть .... блóги / кни́ги
8. Рáньше стрáны хотéли .... , а сейчáс стрáны хотя́т би́знес и .... стаби́льность / территóрия

НЕДЕЛЯ

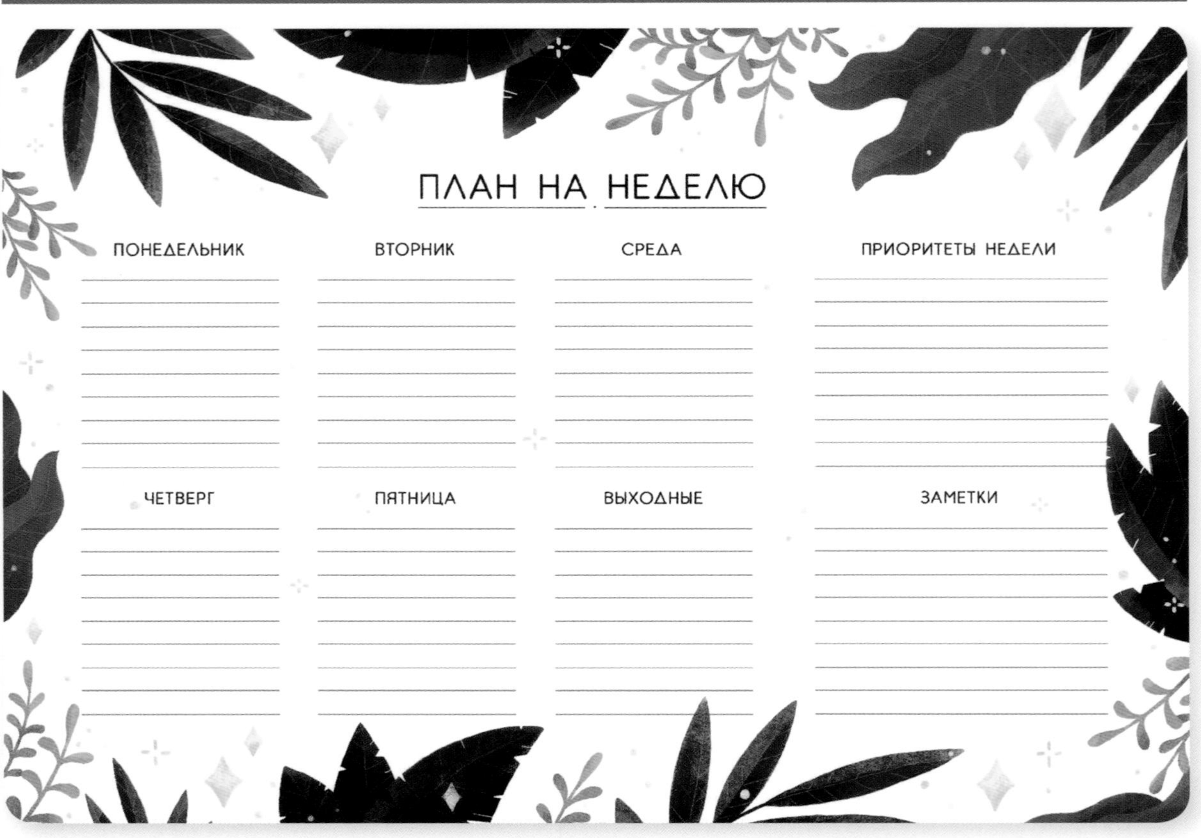

	Сего́дня	**Когда́?**	
Пн.	понеде́льник	в понеде́льник	
Вт.	вто́рник	во вто́рник	
Ср.	среда́	в сре́д**у**	
Чт.	четве́рг	в четве́рг	
Пт.	пя́тница	в пя́тниц**у**	
Сб.	суббо́та	в суббо́т**у**	} в выходны́е
Вс.	воскресе́нье	в воскресе́нье	}

Выходно́й день: **суббо́та.**
Выходны́е дни: **суббо́та и воскресе́нье.**

Я люблю́ четве́рг, потому́ что в четве́рг за́втра — пя́тница!
А воскресе́нье не люблю́, потому́ что в воскресе́нье за́втра — понеде́льник.

9 

Сего́дня...
За́втра...
Вчера́...
Я отдыха́ю в...

У меня́ выходны́е в...
Я мно́го рабо́таю в...
Я никогда́ не рабо́таю в...
Я люблю́... / Я не люблю́...

  **Свен и его жена Хельга были в России. Слушаем и говорим, где и когда они были:**

ТВ54

В понеде́льник они́ бы́ли ....

Во вто́рник они́ бы́ли ....

В сре́ду они́ бы́ли ....

В четве́рг они́ бы́ли ....

В пя́тницу они́ бы́ли ....

и ....

В суббо́ту они́ бы́ли ....

В воскресе́нье они́ бы́ли .... ,

....

Эрмита́ж — вы́ставка, теа́тр — бале́т, Но́вгород — экску́рсия, Москва́ — встре́ча, аэропо́рт — регистра́ция, конце́рт — клуб, пикни́к — парк, Стокго́льм — Шве́ция

11  **Спрашиваем и отвечаем: где и когда был ваш партнёр? Пишем.**

Модель:
— Где ты был в сре́ду?
— В сре́ду я был в о́фисе.
— Что ты там де́лал?
— Как что?! Рабо́тал!

Пн. ....

....

Вт. ....

....

Ср. ....

....

Чт. ....

....

Пт. ....

....

Сб. ....

....

Вс. ....

....

Урок 15

Сколько?

0 — ноль
1 — оди́н
2 — два
3 — три
4 — четы́ре
5 — пять
6 — шесть
7 — семь
8 — во́семь
9 — де́вять
10 — де́сять

«+» — плюс
«–» — ми́нус

1 

Один показывает число, другой читает его:

1

2  **Сколько?**

Модель: 8 – 1 = 7 ⇨ Во́семь ми́нус оди́н — семь.

3 + 4 = ... 2 + 1 = ... 6 + 2 = ... 10 – 4 = ... 7 + 2 = ... 4 – 2 = ...
6 + 1 = ... 5 + 4 = ... 8 – 2 = ... 10 – 8 = ... 6 + 3 = ... 1 + 4 = ...

один + **НА** + **ДЦАТЬ**

11 — оди́н**на**дцать
12 — дв**Е**н**а́**дцать
13 — три**на́**дцать
14 — четы́р**на**дцать
15 — пят**на́**дцать
16 — шест**на́**дцать
17 — сем**на́**дцать
18 — восем**на́**дцать
19 — девят**на́**дцать

3 

Один показывает число другой читает его:

12

18

  **Сколько?**

10 + 4 = ... 17 – 6 = ... 12 + 7 = ... 11 + 5 = ... 18 – 5 = ... 14 + 3 = ...
19 – 7 = ... 13 + 6 = ... 16 – 5 = ... 8 + 9 + 2 = ... 7 + 6 + 5 = ...

20 — два́дцать	**30** — три́дцать		+ **ДЦАТЬ**
40 — со́рок			
50 — пятьдеся́т **70** — се́мьдесят	**60** — шестьдеся́т **80** — во́семьдесят		+ **ДЕСЯТ**
90 — девяно́сто	**100** — сто		+ **СТО**

Один показывает число, другой читает его:

  **Сколько?**

Модель: 50 + 4 = 54
Пятьдеся́т + четы́ре = пятьдеся́т четы́ре.

100 + 30 + 9 = 139
Сто + три́дцать + де́вять = сто три́дцать де́вять.

23 + 12 = ... 66 + 33 = ... 12 + 19 = ... 81 + 18 = ... 75 – 31 = ...
99 + 19 = ... 78 + 10 = ... 69 + 96 = ... 84 + 27 = ... 46 + 54 = ...

   **Продолжите:** 1, 3, 5, ... ⇨ 51 50 ⇦ ... 96, 98, 100

   **Слушаем и пишем.** ....
....

Чи́сла

Когда́ говоря́т: «Я тебя́ люблю́! Я люблю́ шокола́д! Я не люблю́ грамма́тику!», я это понима́ю. Наприме́р, я люблю́ ко́фе, люблю́ чита́ть и не люблю́ смотре́ть футбо́л. Ещё я люблю́ вас, потому́ что вы изуча́ете ру́сский язы́к. Но как лю́ди лю́бят или не лю́бят чи́сла? Почему́ лю́ди не лю́бят 13? Почему́ я люблю́ 7 и 8, но не люблю́ 5 и 6? Ещё я люблю́ 3 и 4, но не люблю́ 2. Я ду́маю, психо́логи зна́ют отве́т. А вы то́же лю́бите или не лю́бите чи́сла?

СЕЗОНЫ И МЕСЯЦЫ

Сезо́ны:	зима́	весна́	ле́то	о́сень	
Когда́?	зимо́й	весно́й	ле́том	о́сенью	
Ме́сяцы:	дека́брь янва́рь февра́ль	март апре́ль май	ию́нь ию́ль а́вгуст	сентя́брь октя́брь ноя́брь	
Когда́?	в декабр**е́**	в ма́рт**е**	в ию́н**е**	в сентябр**е́**	**-Е**

10 

- У вас в стране́ есть зима́?
- Когда́ у вас зима́, ле́то, весна́ и о́сень?
- Когда́ у вас хо́лодно, а когда́ жа́рко?
- Когда́ у вас кани́кулы в шко́ле и в университе́те?
- Когда́ у вас о́тпуск?
- Что хорошо́ де́лать зимо́й, весно́й, ле́том и о́сенью?

КЛИМАТ И ПОГОДА

со́лнце

снег

дождь

ве́тер

Я живу́ в Росси́и, в Петербу́рге.
Зимо́й у нас хо́лодно: +3...−20, снег.
Весно́й, в апре́ле и в ма́е, у нас тепло́: +5...+15.
Ле́том здесь не о́чень жа́рко: +17...+25, со́лнце или дождь.
О́сенью в Петербу́рге: +10...−2, со́лнце, ве́тер и дождь.

11 **Рассказываем о климате у вас в городе:**

Я живу́ в ....
Ле́том у нас ....
Зимо́й у нас ....
Сего́дня у нас ....
Весно́й у нас ....
О́сенью у нас ....

Погóда в Нóвый год

ТВ56

Слушаем прогноз погоды и пишем температуру.
А сейчас вы работаете в России на радио. Вы читаете:

Гóрод	Темпера-тýра	Погóда	Гóрод	Темпера-тýра	Погóда
Оттáва	–32		Буэ́нос-А́йрес		
Мéльбурн			Каи́р		
Лóндон			Лос-А́нджелес		
Бангкóк			Санкт-Петербýрг		
Краснoя́рск			Сингапýр		

Кли́мат на Землé

снег  дождь  виногрáд  динозáвр  самолёт  фáбрика 

Сегóдня лю́ди чáсто говоря́т, что кли́мат на Землé — это проблéма. Напримéр, сейчáс в Еврóпе зимóй не óчень хóлодно, а лéтом сли́шком жáрко. В сентябрé и октябрé ещё теплó, как лéтом. Рáньше зимóй был , а сейчáс дáже в Москвé и Петербýрге в декабрé . Рáньше бы́ло не так! Зимóй в Еврóпе бы́ло хóлодно, дáже на был лёд. Почемý так?

Говоря́т, это всё потомý, что у нас сегóдня есть , , и городá. У нас есть проблéма, и мы не знáем, что дéлать... Но всё не так прóсто! Напримéр, бы́ло врéмя, когдá дáже в Британии был . А когдá на Землé жи́ли , бы́ло óчень жáрко! Мóжет быть, этот процéсс — нóрма? Кто знáет, где прáвда?!

14 Вы согласны?

- ☐ Хорошó, что зимóй в Еврóпе теплó.
- ☐ Краси́во, когдá на ýлице снег.
- ☐ Хорошó, когдá на мóре лёд.
- ☐ Хорошó, когдá в пáрке гуля́ют динозáвры.
- ☐ Сейчáс теплó, потомý что есть маши́ны и фáбрики.
- ☐ Хорошó, когдá всегдá жáрко.

Урок 16

ВРЕМЯ

— Ско́лько вре́мени?
— 10:30. (Де́сять три́дцать.)

— Ско́лько сейча́с (вре́мени)?
— 2:15. (Два пятна́дцать.)

— Извини́те, ско́лько вре́мени?
— Сейча́с 12:05.
(Двена́дцать ноль пять.)

— Ты не зна́ешь, ско́лько вре́мени?
— Уже 1:45. (Час со́рок пять.)

14:20 = 2:20 **16:10 = 4:10**

1 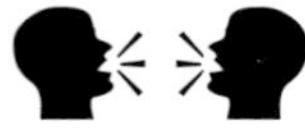 **Спрашиваем и отвечаем:**

Модель: — Извини́те, ско́лько вре́мени?
— Сейча́с семь три́дцать.

— Скажи́те, пожа́луйста, ско́лько вре́мени?
— Сейча́с де́сять пятна́дцать.

6:00	**7:40**	**9:10**	**12:24**	**17:15**
19:45	**20:35**	**15:55**	**1:30**	**2:05**

  **А сейчас ваши варианты. Один студент говорит, а другой — пишет.**

СКОЛЬКО? / ВО СКОЛЬКО?

— **Ско́лько** вре́мени?
— Сейча́с 15:30.

— **Во ско́лько** конце́рт?
— Конце́рт **в** 19:00.

во сколько = когда

Модели:

— **Ско́лько** сейча́с вре́мени?
— Сейча́с 12:00.
— Ро́вно?

— **Ско́лько** сейча́с?
— Уже́ 10:15.

— **Во ско́лько** у нас обе́д?
— Обе́д в 13:30.

— **Когда́** экза́мен?
— За́втра в 9:00.

— **Когда́** у нас встре́ча?
— За́втра в час.

— **Во ско́лько** у вас самолёт?
— В 12:20.

Задаём вопросы:

— ....?
— Сейча́с 8:20.

— ....?
— Конце́рт в 19:00.

— ....?
— Самолёт в 15:30.

— ....?
— Уже́ 14:00.

— ....?
— Вечери́нка за́втра ве́чером.

ПОРА + INF.

Пора́ встава́ть!

О! Уже́ два... Пора́ обе́дать!

Пора́ домо́й!

Как вы думаете, что пора делать:

...в 9:00? **...в 13:00?**
...в 14:00? **...в 18:00?**
...в 21:00? **...в 23:00?**

Пора́ спать!

ХВАТИТ + INF.

Хвáтит спать! Порá гулять!
Хвáтит отдыхáть! Порá рабóтать!
Хвáтит рабóтать!
Хвáтит болтáть!
Хвáтит курить!
Хвáтит пить!
BAR
Хвáтит игрáть на компьютере!
Хвáтит смотрéть телевизор!

ТВ57

Слушаем и пишем время:

1.
— Извини́те, ско́лько вре́мени?
— ....
— Ура́! Уже́ обе́д!

2.
— Извини́те, мы уже́ не рабо́таем!
— Почему́?
— Вы вре́мя зна́ете? Уже́ ....

3.
— Алло́!
— Приве́т, что де́лаешь?
— Ты зна́ешь, ско́лько вре́мени?!
Сейча́с ночь, ... !

4.
— Что, уже́ .... ?
— Да, хва́тит спать! Пора́ встава́ть!

5.
— Ты зна́ешь, ско́лько вре́мени?
— Да, ...
— О! Сейча́с футбо́л!

6.
— Алло́, ты где?
— Я в о́фисе. Уже́ .... , а я ещё рабо́таю!

7.
— Алло́! Ты где? Уже́ .... , а ты ещё гуля́ешь!

8.
— Де́ти! Уже́ .... !
Хва́тит гуля́ть, пора́ у́жинать!

9.
— М-м-м-м... Уже́ у́тро?
— Да, уже́ .... !
Пора́ за́втракать!

10.
— Вы ещё обе́даете? Уже́ .... !
Пора́ рабо́тать!

11.
— Уже́ .... ! А наш самолёт в .... ! Где такси́?!!!

12.
— Ско́лько вре́мени?
— .... !
— А, хорошо́. У нас ещё есть вре́мя.

КОГДА?

Что?		Когда?
у́тро	→	у́тр**ом**
день		дн**ём**
ве́чер		ве́чер**ом**
ночь		но́ч**ью**

5 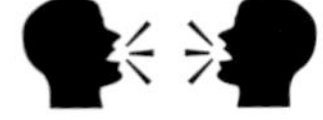

1. Когда́ вы у́жинаете, у́тром и́ли ве́чером?
2. Когда́ вы рабо́таете, днём и́ли но́чью?
3. Когда́ вы за́втракаете, днём и́ли у́тром?
4. Когда́ вы чита́ете, у́тром и́ли ве́чером?
5. Когда́ вы гуля́ете, ве́чером и́ли но́чью?

6 

Марсианин не знает, когда что делать. Вы тоже так делаете?

ве́чер

Он за́втракает **ве́чером**,

у́тро

обе́дает ....,

ночь

чита́ет газе́ты ....,

день

у́жинает ....,

ночь

игра́ет в футбо́л ....,

день

спит ....

ВСЕГДА – КАЖДЫЙ ДЕНЬ – ОБЫЧНО – ЧАСТО – ИНОГДА – РЕДКО – НИКОГДА (НЕ)

Я **всегда́** говорю́ «спаси́бо».
Я **ка́ждый день** чита́ю но́вости в Интерне́те.
Я **обы́чно** ду́маю, что говорю́.
Я **ча́сто** обе́даю в кафе́.
Я **иногда́** покупа́ю фастфу́д.
Я **ре́дко** говорю́ «нет».
Я **никогда́ не** игра́ю в казино́.

Работаем в паре:

Модель:
— Вы **ча́сто** говори́те комплиме́нты?
— Нет, я **ре́дко** говорю́ комплиме́нты.

говори́ть комплиме́нты
за́втракать в кафе́
рабо́тать но́чью
у́жинать в рестора́не
пла́вать в мо́ре
слу́шать кла́ссику
де́лать масса́ж
игра́ть в те́ннис
покупа́ть авиабиле́ты
встава́ть но́чью
чита́ть бло́ги
смотре́ть сериа́лы
сдава́ть экза́мены
де́лать се́лфи

Да или нет? Почему?

☐ 1. Рабо́тать ка́ждый день пло́хо.
☐ 2. Всегда́ говори́ть пра́вду хорошо́.
☐ 3. Говори́ть комплиме́нты иногда́ опа́сно.
☐ 4. Лю́ди ча́сто не говоря́т, что дума́ют.
☐ 5. Поли́тики обы́чно живу́т хорошо́.
☐ 6. Де́ти никогда́ не лю́бят шко́лу.
☐ 7. Преподава́тели обы́чно зна́ют всё.
☐ 8. Тури́сты ре́дко покупа́ют сувени́ры.
☐ 9. Мужчи́ны никогда́ не покупа́ют космети́ку.

МОЙ ДЕНЬ

1  Смотрим на картинки и говорим:

Как вы думаете, кто это? Где он сейчас? Что он делает? Во сколько он обычно встаёт? Что он делает вечером?

Я поэ́т. Обы́чно я встаю́ в по́лдень. Я принима́ю ва́нну, за́втракаю, чита́ю и ду́маю. Пото́м я гуля́ю в па́рке. Ве́чером я у́жинаю в рестора́не, игра́ю в билья́рд, а но́чью начина́ю писа́ть.

Как вы думаете, кто это? Он работает или отдыхает? Это его деньги? У него есть хобби? Что он делает, когда не работает?

Я бухга́лтер. Я рабо́таю в ба́нке. Я встаю́ в 6:30 и принима́ю душ, а в 9:00 я уже́ в ба́нке на рабо́те. Я счита́ю де́ньги, в час обе́даю в кафе́, а пото́м сно́ва рабо́таю. Ве́чером я игра́ю в те́ннис в па́рке. Там гуля́ют де́ти и иногда́ оди́н поэ́т. Я у́жинаю до́ма, убира́ю кварти́ру и ду́маю, что де́лать за́втра.

А вы живёте как поэт или как бухгалтер?
Во сколько встаёт поэт? Что он делает днём?
Где он ужинает? Когда он начинает писать?
Когда встаёт бухгалтер? Что он делает на работе? Где он гуляет?
Что он делает вечером?

ГЛАГОЛ: -ВА-

встаВА́ть	уставВА́ть	даВА́ть	продаВА́ть	сдаВА́ть
я встаю́	....	....	....	....
ты встаёшь	....	....	....	....
он/она́ встаёт	....	....	....	....
мы встаём	....	....	....	....
вы встаёте	....	....	....	....
они́ встаю́т	....	....	....	....

Выбираем слова и пишем в правильной форме:

встава́ть   устава́ть   дава́ть   продава́ть   сдава́ть

1. Я как ро́бот: я никогда́ не ....
2. Уже́ 10! Почему́ ты не .... ?!
3. Что вы .... ? Я покупа́ю всё!
4. Я не банк, я не .... де́ньги.
5. Росси́я .... ресу́рсы.
6. Мы ча́сто .... экза́мены.
7. Университе́т .... дипло́м.
8. Снача́ла вы .... де́ньги, а пото́м я .... ключи́.
9. Когда́ ма́ма .... , де́ти ещё спят.
10. Когда́ я ма́ло сплю, я о́чень ....

СПАТЬ

я сплю	мы спим
ты спишь	вы спи́те
он/она́ спит	они́ спят

— Алло́! Извини́те, вы не ______________ ?

— Коне́чно, я уже́ не ______________ !

3

1. Мой кот ______________ день и ночь.
2. Я уже́ встаю, а ты ещё ______________ ?
3. Роди́тели лю́бят, когда́ де́ти ______________ .
4. Санкт-Петербу́рг никогда́ не ______________ .
5. Мы медве́ди. Зимо́й мы ______________ , а весно́й встаём.
6. Все слу́шают ле́кцию, а я ______________ !

ГОТОВИТЬ

я гото́влю	мы гото́вим
ты гото́вишь	вы гото́вите
он/она́ гото́вит	они́ гото́вят

— Как вы ду́маете, что я ______________ ?

— Вы ______________ сала́т.

4

1. Мы никогда́ не ______________ : мы обе́даем в кафе́, а у́жинаем в рестора́не.
2. В Росси́и лю́ди ______________ суп ка́ждый день.
3. М-м-м-м! Что ты ______________ ?
4. Мой муж рабо́тает в рестора́не. Он ______________ на рабо́те, а я ______________ до́ма.
5. Я ду́маю, мужчи́ны хорошо́ ______________ .
6. Вы ча́сто ______________ ?
7. Я вегетариа́нец. Я ______________ то́лько сала́т.

  **Смотрим на картинки и рассказываем историю:**

Модель: Это Ник. Он парикма́хер. У́тром он ... . Снача́ла он ... , пото́м он ... .

убира́ть
принима́ть душ
покупа́ть проду́кты
начина́ть рабо́тать

А сейчас ваш рассказ. Что вы делаете утром, днём и вечером? Что вы делаете сначала, а что потом?

ИДЕАЛЬНЫЙ ДЕНЬ

6

TB58

Как вы думаете, во сколько хорошо:

	Я	А сейчас слушаем, что говорят врачи:
• встава́ть?	в	....
• принима́ть душ?	в	....
• за́втракать?	в	....
• принима́ть витами́ны?	в	....
• начина́ть рабо́тать?	в	....
• обе́дать?	в	....
• гуля́ть?	в	....
• покупа́ть проду́кты?	в	....
• у́жинать?	в	....
• спать?	в	....

7

Что вы любите делать ночью?
Сколько раз в день вы спите? А сколько раз вы хотите спать?

Что вы делаете ночью, когда не спите?
Вы хотите спать днём и работать ночью?

Когда́ лю́ди спят?

Сейча́с мы обы́чно спим но́чью и встаём у́тром. В А́встрии, Герма́нии и Швейца́рии встаю́т **ра́но**, в 6, а в Росси́и — в 7 и́ли в 8, но **в при́нципе** все но́чью спят, а у́тром встаю́т. Мы ду́маем, что это норма́льно и лю́ди всегда́ де́лали так.

Сего́дня **исто́рики** говоря́т, что это непра́вда. Ра́ньше в Евро́пе лю́ди **снача́ла** ве́чером спа́ли, **пото́м** но́чью встава́ли и отдыха́ли: гуля́ли, у́жинали, говори́ли, а пото́м **сно́ва** спа́ли. Мо́жет быть, это хорошо́? Почему́ мы не де́лаем так?

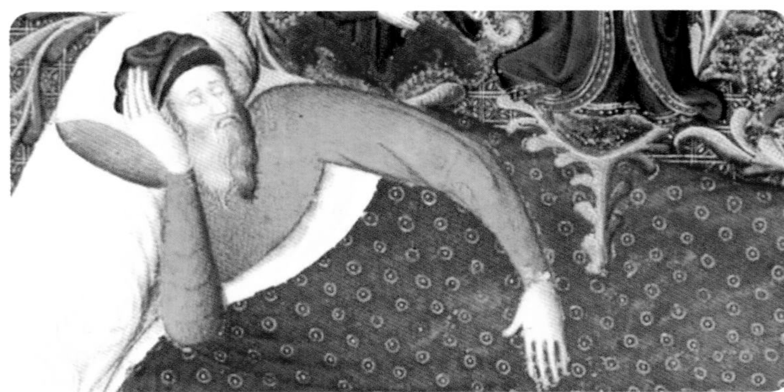

Вы любите рано вставать? Рано — это во сколько?
Кто работает ночью? Почему?
Когда вы работаете продуктивно, утром или вечером?
Вы спите, когда у вас стресс?
Почему дети не хотят спать днём, а студенты хотят?

«Жа́воронки» и «со́вы»

Все зна́ют, есть лю́ди-**«жа́воронки»** и лю́ди-**«со́вы»**. «Жа́воронки» лю́бят встава́ть ра́но и акти́вно рабо́тают у́тром. Сего́дня психо́логи говоря́т, что рабо́тать **у́тром** о́чень **продукти́вно**. Наприме́р, Мо́царт и Бетхо́вен писа́ли му́зыку **ра́но у́тром**.

«Со́вы» лю́бят спать у́тром и акти́вно рабо́тают ве́чером и но́чью. Ча́сто писа́тели, поэ́ты, музыка́нты, а сейча́с и программи́сты — «со́вы». Мо́жет быть, они́ лю́бят рабо́тать и ду́мать но́чью, потому́ что в э́то вре́мя все спят.

Почему́ лю́ди спят но́чью? Мо́жет быть, потому́ что **темно́**? Но сейча́с, когда́ у нас есть **свет**, ве́чером лю́ди отдыха́ют, у́жинают в рестора́не, слу́шают му́зыку и́ли смо́трят фи́льмы. И пото́м, кто хо́чет спать, когда́ есть Интерне́т?! В результа́те шко́льники и студе́нты но́чью не спят и **ра́но** встаю́т, а пото́м хотя́т спать **весь день**!

Читаем текст и работаем по модели.

Моде́ль: хорошо́ — пло́хо

пасси́вно — ....
ре́дко — ....
по́здно — ....
светло́ — ....

Пишем слова из текста:

1. Я встаю́ в 5:30, э́то о́чень ....
2. В Япо́нии все рабо́тают о́чень ....
3. Как хорошо́, что со́лнце даёт ....
4. Зимо́й на Се́вере да́же днём ....
5. Вчера́ я не рабо́тал и был до́ма ....
6. Вы хоти́те спать ....?

9 **Вы согла́сны?**

☐ То́лько ко́шки спят днём.
☐ Лю́ди-со́вы не лю́бят рабо́тать.
☐ Хорошо́ спать, когда́ все рабо́тают.
☐ Хорошо́ рабо́тать, когда́ все спят.
☐ Пло́хо, что Интерне́т рабо́тает но́чью!

Урок 18

ADJECTIVE: КАКОЙ?

он m.	оно n.	она f.	они pl.
Какóй?	Какóе?	Какáя?	Какúе?
-ЫЙ / -ИЙ -ОЙ	-ОЕ / -ЕЕ	-АЯ / -ЯЯ	-ЫЕ / -ИЕ

КАКÓЙ?

красúвый дом

КАКÓЕ?

красúвое окнó

КАКÁЯ?

красúвая машúна

КАКÚЕ?

красúвые часы́

нóвый дом
послéдний день

нóвое слóво
послéднее слóво

нóвая рабóта
послéдняя минýта

нóвые фúльмы
послéдние гóды

рýсский язы́к рýсское слóво рýсская литератýра рýсские клиéнты

ч, ш, щ, ж + и

Большóй теáтр
хорóший друг

большóе мóре
хорóшее метрó

большáя проблéма
хорóшая идéя

большúе дéньги
хорóшие лю́ди

хорóший — плохóй
лёгкий — трýдный
интерéсный — скýчный
дорогóй — дешёвый
горя́чий — холóдный
прекрáсный — ужáсный

большóй — мáленький
нóвый — стáрый
молодóй — стáрый
богáтый — бéдный
ýмный — глýпый
бы́стрый — мéдленный

красúвый вкýсный дóбрый опáсный вáжный популя́рный стрáнный

— Привéт! О! У тебя́ нóвая машúна?
— Да, нóвая.
— Óчень красúвая!
— Красúвая... Но дорогáя!

— Привéт! Я Úгорь. Óчень прия́тно!
— Привéт! Э́то Ю́ля, моя́ нóвая дéвушка!
— Нóвая? А где стáрая?
— Какáя стáрая?! Что ты говорúшь?!

Какой? Какое? Какая? Какие?

1. .... ресторáн?	5. .... ýлица?
2. .... странá?	6. .... музéй?
3. .... докумéнты?	7. .... слóво?
4. .... кафé?	8. .... язы́к?

Смотрим и говорим, какие они:

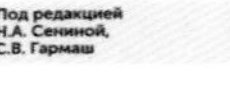

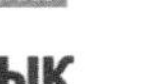

Модель:
«Рýсская граммáтика **лёгкая**?» ⇨ «Нет, рýсская граммáтика **трýдная**».

1. Россúя — **мáленькая** странá?
2. В Парúже **дешёвые** ресторáны?
3. Буддúзм — **нóвая** релúгия?
4. У вас **горя́чее** морóженое?
5. Врач — **лёгкая** профéссия?
6. В Россúи **дорогóе** метрó?
7. В Еврóпе **трýдная** жизнь?
8. ГМО — **стáрая** технолóгия?
9. Мы **глýпые** студéнты?
10. Э́то **скýчный** урóк?

~~Соединённый~~	Европéйский	Россúйский	Блúжний	Нóвый
Арáбский	Сéверный	Саýдовский	Центрáльный	Ю́жный

Соединённые Штáты	.... Востóк
.... Зелáндия	.... Федерáция
.... А́зия	.... Корéя
.... Корéя	.... Сою́з
.... Арáвия	.... Эмирáты

ДОБРОЕ УТРО! ДОБРЫЙ ДЕНЬ! ДОБРЫЙ ВЕЧЕР!

5

ТВ59

Слушаем диалоги и пишем слова. Потом делаем диалоги по модели:

1. Какая погода сегодня и какая погода была вчера?

— .... у́тро!
— .... у́тро!
— Сего́дня .... пого́да, пра́вда?
— Да, ... !
— А вчера́ был .... день!
— Да, о́чень .... !

2. В ресторане:

— .... день!
— Здра́вствуйте!
— У вас есть десе́рты?
— Коне́чно! Каки́е десе́рты вы лю́бите?
— А како́й .... ?
— Вот .... «Наполео́н».
— Я ду́мал, что Наполео́н — э́то импера́тор, а э́то десе́рт!
Спаси́бо .... !
— На здоро́вье!

3. Говорим комплименты.

— .... ве́чер!
— .... ве́чер!
— У вас .... улы́бка! Как вас зову́т?
— Алекса́ндра.
— Како́е .... и́мя!
— Спаси́бо.
— А меня́ зову́т Алекса́ндр!
— Пра́вда?! О́чень прия́тно!

сли́шком	
о́чень	
дово́льно	большо́й, тру́дный, дорого́й...
не о́чень	
не	

сли́шком дорого́й

дово́льно дорого́й,
недешёвый

не о́чень дорого́й

недорого́й

  **Делаем диалоги:**

Модель:
— У вас есть а́нгел?
— Да, есть!
— Како́й он?
— Он о́чень до́брый и краси́вый, как я!

дом	маши́на	соба́ка	де́ти
муж	жена́	рабо́та	би́знес
компью́тер	дире́ктор	сосе́ди	па́рень
де́вушка	брат	сестра́	ко́шка
часы́	телефо́н	друзья́	се́рдце

7

ТВ60

Слушаем и говорим: **правда или неправда:**

А)
1. Лю́ди ду́мают, что у неё интере́сная рабо́та. ☐ ☐
2. Она́ рабо́тает в теа́тре. ☐ ☐
3. Она́ ду́мает, что её рабо́та о́чень ва́жная. ☐ ☐

Б)
1. Его́ жена́ лю́бит футбо́л. ☐ ☐
2. Он ду́мает, что футбо́л — интере́сный спорт. ☐ ☐
3. Сего́дня он смо́трит матч «Барсело́на» — «Че́лси». ☐ ☐

В)
1. Капита́н — опа́сная рабо́та. ☐ ☐
2. В мо́ре капита́н мно́го отдыха́ет. ☐ ☐
3. Сингапу́р — большо́й о́стров. ☐ ☐

Читаем, думаем и говорим.
Потом задаём вопросы: кто? что? где? когда? какой? чей?

Модель: Лю́ди ча́сто ду́мают. ⇨ **Кто** ду́мает?

Я бухга́лтер. **Лю́ди** ча́сто ду́мают, что **моя́** профе́ссия сли́шком **ску́чная**. Не зна́ю... Э́то не теа́тр, коне́чно. Колле́ги **хоро́шие**, рабо́та не о́чень **тру́дная**. Я ду́маю, что она́ о́чень **ва́жная**!

А как вы думаете, бухгалтер — хорошая профессия?
Какие профессии скучные, а какие — интересные?
Какие профессии важные, а какие — не очень?

такси́ст	ветерина́р	спортсме́н
продаве́ц	бизнесме́н	фото́граф
учи́тель	балери́на	официа́нт

■ Я люблю́ **футбо́л**. Я ду́маю, **все** лю́бят футбо́л. То́лько **моя́** жена́ говори́т, что э́то **глу́пый** спорт. Но э́то непра́вда! Э́то о́чень **интере́сный** и акти́вный спорт, о́чень популя́рный **в Росси́и**, в Евро́пе и в ми́ре. **Сего́дня** я смотрю́ **ва́жный** матч: «Зени́т» (Петербу́рг) — «Спарта́к» (Москва́).

У вас в стране футбол — популярный спорт?
Вы тоже думаете, что футбол — глупый спорт?
Как вы думаете, какой спорт активный, а какой — нет?
Какой спорт интересный, а какой — не очень?
Почему футбол очень популярный, а гольф — нет?

футбо́л	бокс	ша́хматы
те́ннис	гольф	бодиби́лдинг
хокке́й	«Фо́рмула-1»	кёрлинг

■ Я **капита́н**. Я ду́маю, э́то о́чень **хоро́шая** рабо́та. Коне́чно, тру́дная и иногда́ **опа́сная**. Когда́ я рабо́таю **в мо́ре**, я **никогда́** не отдыха́ю. Но я был **в А́зии**, в Аме́рике, в А́фрике... Есть о́чень **интере́сные** стра́ны! Наприме́р, Сингапу́р: о́стров **ма́ленький**, но страна́ **бога́тая** и дорога́я, **там** большо́й би́знес и больши́е **дома́**. А в А́фрике стра́ны **бе́дные**, но **приро́да** о́чень краси́вая! А где вы уже́ бы́ли?

Как вы думаете, капитан — хорошая работа? Лёгкая или трудная?
Вы были в Африке? А в Азии? Какие они?
Ваша страна большая или маленькая?
Какие страны богатые, а какие — бедные?
Где красивая природа?
Где хорошая экономика?

Росси́я	Брази́лия	А́нглия	Кита́й	Ку́ба
Аме́рика	Ватика́н	Изра́иль	Зимба́бве	Исла́ндия...

Урок 19

САМЫЙ / САМАЯ / САМОЕ / САМЫЕ + ADJECTIVE

Са́мый большо́й го́род в Росси́и — Москва́.
Са́мая больша́я страна́ в ми́ре — Росси́я.
Са́мое большо́е о́зеро в Росси́и — Каспи́йское мо́ре.
Са́мые больши́е ре́ки в Росси́и — Обь, Ле́на, Аму́р, Енисе́й.

А в мире? А у вас в стране?

1 **Вы согласны или нет? Почему вы так думаете?**

- ☐ Са́мый краси́вый го́род в Росси́и — Санкт-Петербу́рг.
- ☐ Са́мая лёгкая профе́ссия — учи́тель.
- ☐ «Здра́вствуйте» — са́мое тру́дное ру́сское сло́во.
- ☐ Са́мая интере́сная кни́га — слова́рь.
- ☐ Са́мый популя́рный рестора́н — «Макдо́налдс».
- ☐ Са́мые ва́жные слова́ — это «Я тебя́ люблю́».
- ☐ Са́мая бога́тая страна́ — Зимба́бве.
- ☐ Са́мые краси́вые фотогра́фии — в па́спорте.
- ☐ Са́мая ва́жная рабо́та — президе́нт.
- ☐ Са́мое холо́дное ме́сто на плане́те — холоди́льник.

2

Модель:
— Како́й язы́к са́мый краси́вый?
— Я ду́маю, са́мый краси́вый язы́к — италья́нский!
— А я ду́маю...
— Како́й язы́к са́мый лёгкий?
— Я ду́маю...
— А я ду́маю...

Студент 1

	краси́вый	дорого́й	лёгкий	опа́сный	стра́нный
страна́					
го́род					
профе́ссия					
язы́к					
спорт					
тра́нспорт					

Студент 2

	краси́вый	дорого́й	лёгкий	опа́сный	стра́нный
страна́					
го́род					
профе́ссия					
язы́к					
спорт					
тра́нспорт					

ИНТЕРНАЦИОНАЛЬНЫЕ СЛОВА

3 Делаем пары:

спорти́вный — культу́ра
экономи́ческий — фина́нсы
тала́нтливый — спорт
фина́нсовый — тала́нт
культу́рный — эконо́мика

класси́ческий — центр
истори́ческий — поли́тика
центра́льный — конта́кт
полити́ческий — исто́рия
конта́ктный — кла́ссика

реа́льный, уника́льный, позити́вный
акти́вный, пасси́вный, негати́вный

4 Смотрим на интернациональные слова (задание 3) и делаем все комбинации:

Модель: Систе́ма ⇨ экономи́ческая, полити́ческая, фина́нсовая, уника́льная

Челове́к: ....

Центр: ....

Фильм: ....

Ситуа́ция: ....

Програ́мма: ....

5

Кто у вас в семье самый... ?

у́мный, богáтый, краси́вый, акти́вный
спорти́вный, тала́нтливый, позити́вный, до́брый

— Мо́жно сказа́ть «Ло́ндон университе́т»?
— Нет.

Ло́ндон	+	-**ский**	Ло́ндон**ский** университе́т
		-**ская**	Ло́ндон**ская** филармо́ния
		-**ское**	Ло́ндон**ское** метро́
		-**ские**	Ло́ндон**ские** музе́и

6  **Ваши ассоциации: какое метро? какой университет?**

Модель: Берли́нское метро́ о́чень ста́рое, но ещё рабо́тает.

Ло́ндон	Нью-Йо́рк	Мила́н	Пари́ж	Амстерда́м	Ве́на
Рим	Жене́ва	Варша́ва	Мадри́д	Шанха́й	Пеки́н

университе́т, метро́, о́пера, галере́я, магази́ны, аэропо́рт, рестора́ны, кана́лы, о́зеро, архитекту́ра, акце́нт...

7 

- Где вы уже́ бы́ли в Росси́и?
- Вы зна́ете, где Большо́й теа́тр? А где Эрмита́ж?
- Вы зна́ете, что Росси́я — это не СССР?
- Как вы понима́ете слова́ «бе́лые но́чи»?
- Вы живёте в столи́це? Како́й го́род у вас в стране́ все лю́бят?
- Како́й го́род са́мый краси́вый у вас в стране́? А како́й са́мый бога́тый?
- Каки́е лю́ди живу́т у вас в го́роде?

Все знают, что в России есть Москва и Санкт-Петербург. Какие ещё русские города вы знаете?

Вы знаете эти слова?

столи́ца	се́верный	уника́льный	кана́л	атмосфе́ра
сове́тский	архитекту́ра	романти́ческий	пого́да	
бренд	монуме́нт	мост	бе́лый	

Два го́рода — две столи́цы!

Москва́ — ста́рый го́род, ва́жный полити́ческий и фина́нсовый центр. Сего́дня Москва́ — росси́йская столи́ца, а ра́ньше это была́ столи́ца СССР. Здесь больши́е о́фисы, бога́тые ба́нки, ста́рая ру́сская и сове́тская архитекту́ра. Здесь рабо́тают президе́нт, парла́мент и мини́стры. В Москве́ акти́вная жизнь, бога́тые лю́ди, дороги́е клу́бы и рестора́ны.

Москва́ о́чень больша́я, но ста́рый центр о́чень ма́ленький. В це́нтре Кремль, Кра́сная пло́щадь, Третьяко́вская галере́я, Истори́ческий музе́й и Большо́й теа́тр. Популя́рные у́лицы в Москве́ — Тверска́я, Арба́т и Но́вый Арба́т. Лю́ди в Москве́ ду́мают, что они́ о́чень ва́жные. Они́ лю́бят всё дорого́е и краси́вое: дороги́е часы́, больши́е и бы́стрые маши́ны, популя́рные бре́нды.

Все тури́сты лю́бят **Санкт-Петербу́рг**. Ча́сто говоря́т, что Санкт-Петербу́рг — се́верная столи́ца, а ещё — культу́рная столи́ца. Он не о́чень ста́рый, но о́чень краси́вый, и истори́ческий центр в Санкт-Петербу́рге большо́й. Здесь прекра́сная класси́ческая архитекту́ра, краси́вые у́лицы, проспе́кты и истори́ческие монуме́нты. Центра́льная у́лица – Не́вский проспе́кт, есть ещё популя́рные у́лицы: Италья́нская, Миллио́нная, Садо́вая.

Лю́ди в Петербу́рге ду́мают, что они́ о́чень культу́рные. Все говоря́т, что Петербу́рг — это ру́сская Евро́па. Пого́да здесь ча́сто не о́чень хоро́шая, но атмосфе́ра про́сто нереа́льная! Ле́том, в ию́не, в Санкт-Петербу́рге са́мый романти́ческий сезо́н – бе́лые но́чи. В это вре́мя тури́сты гуля́ют но́чью и смо́трят ре́ки, кана́лы, мосты́ и острова́. В Петербу́рге есть уника́льные музе́и: Эрмита́ж, са́мый большо́й музе́й в Росси́и, и Ру́сский музе́й.

У вас в стране есть культурная столица? А где финансовый центр? Когда у вас самый романтический сезон? Что смотрят туристы у вас в городе? Где хорошая атмосфера? Какие уникальные места вы знаете?

Пишем антонимы:

Модель:
интере́сный — .... ⇨ интере́сный — **ску́чный**

ста́рый —	бы́стрый — ....
бога́тый —	хоро́ший — ....
большо́й —	дорого́й — ....
акти́вный —	прекра́сный — ....

Где в тексте русские и интернациональные прилагательные?

Модель: важный политический центр

8 **Слушаем и говорим, где были туристы, в Москве или в Санкт-Петербурге.** ТВ61

1. .... 2. .... 3. .... 4. ....

5. .... 6. .... 7. .... 8. ....

КАК?

холо́дно — тепло́ — жа́рко
интере́сно — ску́чно
легко́ — тру́дно
до́рого — дёшево
хорошо́ — пло́хо

бы́стро — ме́дленно
гро́мко — ти́хо
ра́но — по́здно
краси́во — некраси́во
прекра́сно — ужа́сно

краси́во	популя́рно	удо́бно	стра́нно	глу́по
прия́тно	пра́вильно	комфо́ртно	опа́сно	смешно́
вку́сно	ва́жно	норма́льно	беспла́тно	стра́шно

1

красиво ....

....

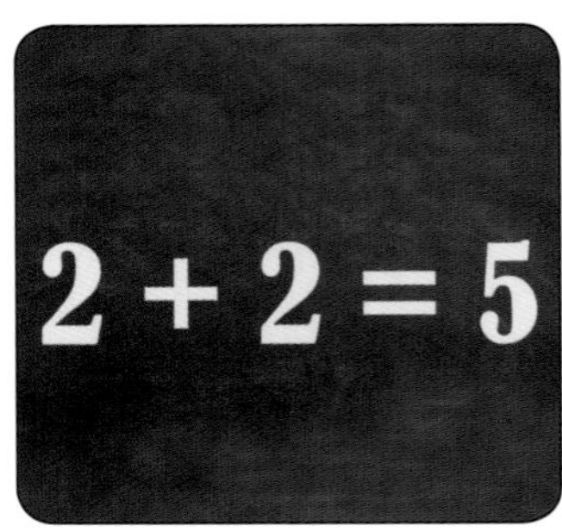

....

....

....

....

....

....

....

  **Правда или неправда?**

Модель: у́жинать в рестора́не **дёшево** ➪ у́жинать в рестора́не **до́рого**

обе́дать в «Макдо́налдсе» вку́сно — ...
говори́ть по-ру́сски легко́ — ...
чита́ть контра́кты интере́сно — ...
говори́ть «спаси́бо» пло́хо — ...

де́ньги — это нева́жно — ...
пла́вать в пижа́ме удо́бно — ...
жить на у́лице комфо́ртно — ...
смотре́ть коме́дии ску́чно — ...

  **Читаем фразы и говорим, что думаем:**

Модель:
Жить в А́фрике... ➪ Жить в А́фрике тру́дно и опа́сно, но дёшево и тепло́.

знать всё
жить
изуча́ть языки́
не рабо́тать
игра́ть в казино́
де́лать комплиме́нты
отдыха́ть до́ма
жить в Евро́пе
отдыха́ть на мо́ре
де́лать се́лфи
чита́ть но́вости
рабо́тать в поли́ции
встава́ть ра́но
гото́вить
кури́ть
жить в А́фрике
спать в самолёте
де́лать татуиро́вки
слу́шать рэп
говори́ть «нет»
у́жинать в рестора́не

КАКОЙ? / КАК?

Како́й? — хоро́**ший** язы́к
Кака́я? — хоро́**шая** рабо́та
Како́е? — хоро́**шее** мо́ре
Каки́е? — хоро́**шие** студе́нты

Как? — хорош**о́** говори́ть по-ру́сски

Мы **хоро́шие** студе́нты. (каки́е?) Мы **хорошо́** говори́м по-ру́сски. (как?)

  **Модель:**
Мы **акти́вные** студе́нты. Мы **акти́вно** рабо́таем в кла́ссе. (акти́вный, акти́вно)

1. У нас .... учи́тель.
   Он .... говори́т. (интере́сный, интере́сно)
2. Швейца́рия — .... страна́.
   Там все .... живу́т. (прекра́сный, прекра́сно)
3. Это .... ме́сто. Здесь .... отдыха́ть. (ску́чный, ску́чно)
4. Рок-музыка́нты .... игра́ют.
   Рок — о́чень .... му́зыка. (гро́мкий, гро́мко)
5. .... челове́к .... рабо́тает. (акти́вный, акти́вно)
6. У меня́ о́чень .... компью́тер. Он о́чень .... ду́мает. (ме́дленный, ме́дленно)

5   **Читаем вопросы и отвечаем. Говорим правду!**

Модель: Вы пло́хо рабо́таете? — Да, я пло́хо рабо́таю. /
— Нет, я о́чень хорошо́ рабо́таю.

- Вы бы́стро говори́те по-ру́сски?
- Вы ску́чно живёте?
- Вы хорошо́ зна́ете жизнь?
- Вы ме́дленно ду́маете?
- Вы краси́во пла́ваете?
- Вы вку́сно гото́вите?
- Вы позити́вно смо́трите на пробле́мы?
- Вы пра́вильно живёте?

6  **Слушаем и пишем:**

TB62

Диалог 1

— Извини́те, вы сли́шком .... слу́шаете му́зыку! Вы вре́мя зна́ете? Уже́ ночь!
— А? Да, извини́те, пожа́луйста. У нас день рожде́ния.

Вы любите музыку? Вы слушаете громкую музыку? У вас в стране можно слушать громкую музыку ночью? Что вы делаете, когда у вас день рождения?

Диалог 2

— Алло́! .... ве́чер! Мо́жно пи́ццу «Маргари́та» и ко́лу?
— Да, коне́чно. Како́й у вас а́дрес?
— Садо́вая у́лица, дом 44, кварти́ра 178.
— Извини́те, вы говори́те сли́шком .... ! Повтори́те, пожа́луйста, ещё раз, не так .... !
— .... , мой а́дрес: у́лица Садо́вая, дом 44, кварти́ра 178. Сейча́с .... ?
— Спаси́бо, сейча́с .... Хоти́те сала́т или десе́рт?
— Нет, спаси́бо.

Вы быстро говорите по-русски? А по-английски? Вы понимаете, когда люди говорят быстро?

Диалог 3

— Здра́вствуйте! Каки́е у вас пробле́мы?
— Я перфекциони́ст! Я люблю́, когда́ всё .... Я .... рабо́таю, я .... ду́маю, я мно́го зна́ю. Я де́лаю всё максима́льно .... , но так жить о́чень .... На рабо́те все говоря́т, что мир не .... , а я .... Что де́лать?

Вы перфекционист? Вы активно работаете? Вы быстро думаете? Вы всё делаете правильно? Как жить в мире, если он не идеальный?

Диалог 4

— Вы .... понима́ете вопро́с?
— Да, ... Но я не зна́ю отве́т. Уф-ф-ф! Экза́мен — это о́чень .... !

У вас были экзамены? Что вы делаете, когда вы не знаете, что говорить на экзамене?

Диалог 5

— Ты .... пла́ваешь!
— Спаси́бо! Ты то́же .... !
— Как .... ! Мо́ре, со́лнце, пляж! Да, отдыха́ть на мо́ре — э́то .... !
— То́лько о́чень .... Но пла́вать о́чень .... !

Вы хорошо плаваете? Где приятно плавать? Где плавать опасно?

Диалог 6

— Говоря́т, ты .... зна́ешь ру́сский?
— Да, ... , а что?
— Я .... понима́ю текст... Чита́ть по-ру́сски .... , и я чита́ю о́чень .... У меня́ есть вопро́сы...
— .... , это не пробле́ма. Каки́е вопро́сы? Я слу́шаю!

Вы читаете по-русски быстро или медленно? Когда вы читаете, вы хорошо понимаете? Что вы делаете, если вы не понимаете текст?

7

- Где отдыха́ть комфо́ртно, но до́рого?
- Где сли́шком хо́лодно? Где опа́сно?
- Где лю́ди живу́т бога́то, а где — бе́дно?
- Где отдыха́ть хорошо́ и недо́рого?
- Где смо́трят на жизнь позити́вно?
- Где прия́тная атмосфе́ра?

Читаем и думаем, где это: Зимба́бве, Гренла́ндия, Фра́нция, Таила́нд? Какие слова в тексте отвечают на вопрос как?

■ Вы отдыха́ли в .... ? Если да, то вы зна́ете, что это прекра́сная страна́! Там о́чень интере́сно, краси́во и недо́рого. Обе́дать в рестора́не вку́сно и дово́льно дёшево. Лю́ди живу́т бе́дно, но смо́трят на жизнь позити́вно. Там краси́вое мо́ре, па́льмы и прия́тная атмосфе́ра. Зимо́й тепло́, но ле́том сли́шком жа́рко!

■ Оди́н раз я был во .... Все зна́ют, что там о́чень краси́во. Отдыха́ть во .... о́чень популя́рно. Там бога́тая культу́ра и краси́вая архитекту́ра. Тури́сты мно́го гуля́ют, де́лают фотогра́фии и акти́вно покупа́ют сувени́ры. Рестора́ны и магази́ны хоро́шие, но дороги́е. Там комфо́ртно, но дово́льно до́рого.

■ Мои роди́тели жи́ли в .... ! Они́ говоря́т, что там о́чень краси́во и необы́чно. Там краси́вая приро́да и жа́ркий кли́мат. Ра́ньше бы́ло о́чень хоро́шо отдыха́ть в .... , а сейча́с это не о́чень популя́рно, потому́ что дово́льно опа́сно. Ра́ньше лю́ди там жи́ли норма́льно, а сейча́с бе́дно.

■ Здесь отдыха́ть стра́нно и непопуля́рно. Я ду́маю, то́лько ненорма́льные лю́ди лю́бят э́то ме́сто. Вы зна́ете, где это? Это .... ! Там всегда́ сли́шком хо́лодно, зимо́й о́чень темно́, а ле́том бе́лые но́чи. Интере́сно, что тури́сты там де́лают?

Где вы отдыхали? Как там было? Где вы любите отдыхать? Почему?

Урок 21

МОЖНО НЕЛЬЗЯ НАДО

1 **Думаем и пишем, что можно/нельзя/надо делать:**

1. В кинотеа́тре __________ смотре́ть фи́льмы, __________ есть суп, __________ есть попко́рн, __________ пить ко́лу, __________ говори́ть, __________ сиде́ть ти́хо, __________ спать, __________ плати́ть.

2. На пля́же __________ игра́ть в волейбо́л, __________ игра́ть в кёрлинг, __________ чита́ть, __________ спать, __________ жить, __________ кури́ть, __________ де́лать барбекю́, __________ танцева́ть.

3. В самолёте __________ сиде́ть, __________ есть, __________ пить, __________ смотре́ть фи́льмы, __________ рабо́тать в Интерне́те, __________ говори́ть по телефо́ну, __________ слу́шать, что говори́т стюарде́сса, __________ смотре́ть в окно́.

4. В рестора́не __________ есть беспла́тно, __________ плати́ть, __________ пить, __________ танцева́ть, __________ игра́ть в ка́рты, __________ гро́мко говори́ть.

5. В шко́ле __________ изуча́ть, что хо́чешь, __________ говори́ть, что ду́маешь, __________ де́лать, что говори́т учи́тель, __________ мно́го ду́мать, __________ де́лать оши́бки, __________ есть и пить, __________ игра́ть на телефо́не.

Слушаем и говорим, где это. Пишем:

☐ ПЛЯЖ

3 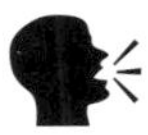 **Что можно, что нельзя и что надо здесь делать?**

в шко́ле

в авто́бусе

в клу́бе

в круи́зе

в теа́тре

на рабо́те

в самолёте

в а́рмии

в рестора́не

на пля́же

в кинотеа́тре

в це́ркви

в па́рке

в аэропорту́

в тюрьме́

до́ма

в маши́не

на стадио́не

4

Е́сли солда́т говори́т «да», это зна́чит «да»; е́сли говори́т «нет», это зна́чит «нет»; е́сли говори́т **«мо́жет быть»**, это не солда́т.

Е́сли диплома́т говори́т «да», это зна́чит **«мо́жет быть»**; е́сли говори́т «мо́жет быть», это зна́чит «нет»; е́сли говори́т «нет», это не диплома́т.

Е́сли же́нщина говори́т «нет», это зна́чит **«мо́жет быть»**; е́сли же́нщина говори́т **«мо́жет быть»**, это зна́чит «да»; е́сли говори́т «да», это не же́нщина.

я могу́	мы мо́жем
ты мо́жешь	вы мо́жете
он/она мо́жет	они мо́гут

!	
он мог	**она могла́**
	оно могло́
	они могли́

5

1. Я не ________ рабо́тать без ко́фе.
2. Ма́ленькие де́ти ду́мают, что ________ всё.
3. В СССР лю́ди не ________ де́лать би́знес.
4. Ты ________ спать весь день?
5. Сейча́с мы ________ говори́ть по ска́йпу, а ра́ньше не ________ .
6. Вы ________ говори́ть то́лько по-ру́сски?
7. Челове́к не компью́тер и не ________ по́мнить всё.
8. Мы ________ де́лать всё, что хоти́м!

6

Отвечаем на вопросы: «Да, могу» / «Нет, не могу» / «Может быть, могу»:

- Вы мо́жете всё?
- Вы мо́жете зимо́й пла́вать в реке́?
- Вы мо́жете игра́ть на пиани́но но́чью?
- Вы всегда́ мо́жете де́лать, что хоти́те?
- Вы мо́жете не рабо́тать?
- Вы мо́жете не кури́ть?
- Ско́лько вы мо́жете не спать?
- Вы мо́жете есть то́лько фру́кты?
- Вы мо́жете жить где и как хоти́те?
- Вы мо́жете жить оди́н/одна́ на о́строве?
- Что вы мо́жете де́лать одновре́ме́нно?
- Вы мо́жете говори́ть всё, что ду́маете?
- Вы мо́жете говори́ть по-ру́сски бы́стро?

УМЕТЬ

я умéю ты умéешь он/онá умéет	мы умéем вы умéете онú умéют

Áлекс умéет игрáть на скрúпке.

Сейчáс Áлекс не мóжет игрáть.

 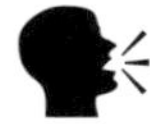 **Что они могут и умеют делать? А что нет? А вы?**

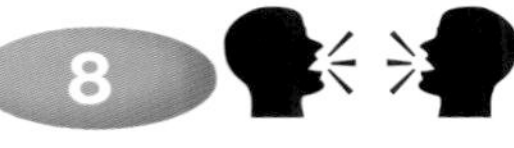 **Читаем фразы, спрашиваем и отвечаем: Вы можете? / Вы умеете?**

вкýсно готóвить
игрáть в кáрты
дéлать массáж
жить в монастырé
писáть мýзыку
спать весь день

говорúть тóлько по-рýсски
плáвать
плáвать зимóй
не рабóтать
игрáть в шáхматы
дéлать сáйты

танцевáть вальс
говорúть на пýблике
курúть дóма
спать в самолёте
пóмнить всё
говорúть тóлько прáвду

9

- Как вы понима́ете сло́во «прогре́сс»?
- Когда́ прогре́сс — это хорошо́, а когда́ — пло́хо? У вас есть приме́ры?
- Как вы ду́маете, сего́дня обы́чные лю́ди изуча́ют иностра́нные языки́?
- Что изуча́ют необы́чные лю́ди?
- Вы зна́ете, как живу́т лю́ди в А́фрике и в Аме́рике? А они́ зна́ют, как живёте вы?
- Что на́до покупа́ть: дороги́е биопроду́кты и́ли обы́чные дешёвые?
- Каки́е проду́кты сего́дня натура́льные, а каки́е — хи́мия?
- Каки́е проду́кты у вас на столе́?
- Что ра́ньше могли́ и уме́ли де́лать же́нщины, а что мо́гут и уме́ют сейча́с? А мужчи́ны?

Вы знаете эти слова?

дере́вня	приро́да	доро́га	по́езд	царь
мона́х	ро́бот	опера́ция	хи́мия	фрила́нсер

 **Читаем текст:**

Прогре́сс — э́то хорошо́ и́ли пло́хо?

Сего́дня мы мо́жем жить в дере́вне на приро́де, а рабо́тать в о́фисе в го́роде, потому́ что у нас есть маши́ны, доро́ги и поезда́, а ра́ньше не могли́. Фрила́нсеры мо́гут жить, где хотя́т, а рабо́тать до́ма на компью́тере. Это о́чень удо́бно и уже́ популя́рно! Сейча́с лю́ди мо́гут жить в Росси́и, а отдыха́ть, наприме́р, в Ме́ксике, а ра́ньше да́же царь не мог так жить. Ра́ньше мы не зна́ли, как живу́т лю́ди в Австра́лии, в А́фрике и в Аме́рике, а сейча́с все всё зна́ют, потому́ что есть телеви́зор и Интерне́т.

Ра́ньше ма́ло кто уме́л писа́ть и чита́ть, а сейча́с это уме́ют да́же де́ти. Ра́ньше де́ти ча́сто рабо́тали, а в на́ше вре́мя они́ не мо́гут рабо́тать, но хорошо́ зна́ют, как рабо́тают компью́теры и смартфо́ны.

Ра́ньше обы́чные лю́ди не могли́ изуча́ть иностра́нные языки́, а сего́дня все изуча́ют иностра́нный язы́к в шко́ле, но ещё не все уме́ют хорошо́ говори́ть.

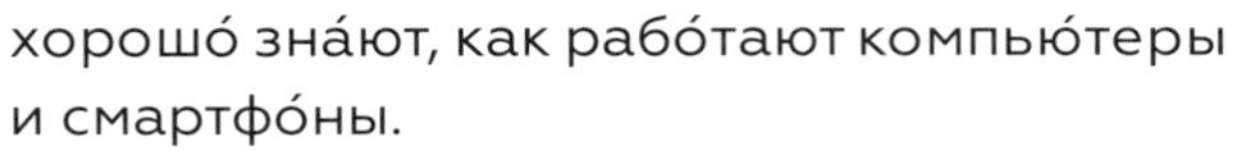

О́чень большо́й прогре́сс, коне́чно, в медици́не. Сейча́с ро́боты мо́гут де́лать опера́ции, а ра́ньше да́же лю́ди не уме́ли их де́лать. Но ра́ньше на столе́ всегда́ бы́ли биопроду́кты, а сейча́с — одна́ хи́мия, натура́льные проду́кты о́чень дороги́е.

Социа́льный прогре́сс то́же о́чень большо́й: ра́ньше же́нщины не могли́ рабо́тать в парла́менте, а сейча́с мо́гут. Мужчи́ны ра́ньше обы́чно не уме́ли гото́вить, а сейча́с уме́ют и иногда́ гото́вят о́чень хорошо́.

Читаем текст ещё раз и пишем, какие плюсы и минусы в жизни были раньше, а какие есть сейчас:

Раньше +

....
....
....
....
....

Раньше −

....
....
....
....
....

Сейчас +

....
....
....
....
....

Сейчас −

....
....
....
....
....

Рассказываем:

- что вы уме́ете и не уме́ете де́лать;
- что вы уме́ли и не уме́ли де́лать ра́ньше;
- что вы мо́жете и не мо́жете де́лать;
- что вы могли́ и не могли́ де́лать в шко́ле, университе́те;
- что вы уме́ете, но не мо́жете.

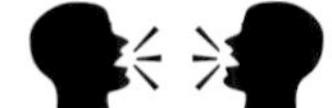

Вы согласны? Почему?

- ☐ Хорошо́ жить в дере́вне, а рабо́тать в го́роде!
- ☐ Царь мо́жет всё!
- ☐ Лю́ди в Аме́рике не зна́ют, как живу́т лю́ди в Росси́и, в Евро́пе и в А́фрике.
- ☐ Иностра́нцы не зна́ют, что мо́жно де́лать, а что нельзя́.
- ☐ Пло́хо, что сего́дня де́ти не мо́гут рабо́тать! Они́ уме́ют то́лько отдыха́ть!
- ☐ Хорошо́, когда́ мужчи́ны гото́вят, а же́нщины рабо́тают в парла́менте!
- ☐ На́до покупа́ть то́лько натура́льные проду́кты.

Урок 22

РОССИЯ — РУССКИЙ — ПО-РУССКИ

Э́то Ита́лия.

«Ферра́ри» — италья́нская маши́на.

Ла́ура — италья́н**к**а.

Она́ говори́т **по**-италья́н**ски**.

Фла́вио — италья́н**ец**.

страна	он	она	они	какой?	говорят
Росси́я	россия́нин ру́сский	россия́нка ру́сская	россия́не ру́сские	росси́йский ру́сский	по-ру́сски
Аме́рика	америка́нец	америка́нка	америка́нцы	америка́нский	
А́нглия	англича́нин	англича́нка	англича́не	англи́йский	по-англи́йски
Герма́ния	не́мец	не́мка	не́мцы	неме́цкий	по-неме́цки
Фра́нция	францу́з	францу́женка	францу́зы	францу́зский	по-францу́зски
Ита́лия	италья́нец	италья́нка	италья́нцы	италья́нский	по-италья́нски
Испа́ния	испа́нец	испа́нка	испа́нцы	испа́нский	по-испа́нски
Швейца́рия	швейца́рец	швейца́рка	швейца́рцы	швейца́рский	
А́встрия	австри́ец	австри́йка	австри́йцы	австри́йский	
По́льша	поля́к	по́лька	поля́ки	по́льский	по-по́льски
Финля́ндия	финн	фи́нка	фи́нны	фи́нский	по-фи́нски
Кита́й	кита́ец	китая́нка	кита́йцы	кита́йский	по-кита́йски
Япо́ния	япо́нец	япо́нка	япо́нцы	япо́нский	по-япо́нски

Э́то Фра́нция.
Пье́р — францу́з.
Он о́чень лю́бит францу́зский язы́к.

Э́то Герма́ния.
Пе́тер и Мо́ника — не́мцы.
Они́ говоря́т по-неме́цки.

Э́то Кита́й.
Ри́чард не кита́ец.
Он изуча́ет кита́йский язы́к.

Э́то Росси́я.
Ива́н и Мара́т — россия́не.
Они́ зна́ют ру́сский язы́к.
Ива́н — ру́сский, а Мара́т — тата́рин.
До́ма Мара́т говори́т по-тата́рски.

РОССИЙСКИЙ — РУССКИЙ

росси́йский — страна́, госуда́рство
ру́сский — язы́к, культу́ра, э́тнос, тради́ции

 1  **Русский или российский?**

Конститу́ция, флаг, язы́к, Федера́ция, а́рмия, грамма́тика, президе́нт, фолькло́р, ви́за, па́спорт, ку́хня, эконо́мика, матрёшка, культу́ра

 2

Ваши ассоциации:

Модель:
Сыр: францу́зский сыр, италья́нский сыр, швейца́рский сыр...

маши́на ку́хня кино́ му́зыка футбо́л матрёшка

часы́ оде́жда а́рмия ко́фе вино́ литерату́ра

3 

Спрашиваем, слушаем и потом рассказываем, что говорил ваш партнёр. Работа в паре или группе.

- Каки́е языки́ вы зна́ете?
- Каки́е языки́ вы лю́бите?
- Каки́е языки́ вы изуча́ли?
- Како́й язы́к вы хоти́те знать, но не хоти́те изуча́ть?
- Каки́е языки́ вы хоти́те изуча́ть?
- Како́й язы́к краси́вый?
- Како́й язы́к логи́чный?

РУССКИЙ — ПО-РУССКИ

знать изуча́ть люби́ть	ру́сск**ий** язы́к	говори́ть чита́ть писа́ть понима́ть	**по**-ру́сски

4

1. Вы хорошо́ говори́те ______________ ?
   Да, коне́чно. Я хорошо́ зна́ю ______________ .
   — англи́йский язы́к / по-англи́йски
2. Вы зна́ете ______________ ?
   Нет, я абсолю́тно не говорю́ ______________ .
   — ара́бский язы́к / по-ара́бски
3. Вы говори́те ______________ ?
   Да, я о́чень люблю́ ______________ .
   — испа́нский язы́к / по-испа́нски
4. Вы лю́бите ______________ ?
   Коне́чно! Я францу́з. Я говорю́ то́лько ______________ .
   — францу́зский язы́к / по-францу́зски
5. Я пло́хо зна́ю ______________ .
   Я чита́ю ______________ , но не понима́ю.
   — ру́сский язы́к / по-ру́сски

В Росси́и **лю́ди лю́бят** хокке́й. = В Росси́и **лю́бят** хокке́й.

5  **Модель:** Росси́я — **говори́ть** по-ру́сски. ⇨ В Росси́и **говоря́т** по-ру́сски.

Аме́рика — говори́ть по-англи́йски
Росси́я — мно́го чита́ть
Кита́й — мно́го рабо́тать
Аргенти́на — хорошо́ гото́вить мя́со
Сингапу́р — не кури́ть
Ита́лия — люби́ть ко́фе
Испа́ния — отдыха́ть днём
Австра́лия — пла́вать в океа́не
Япо́ния — смотре́ть аниме́
Финля́ндия — люби́ть са́уну
Брази́лия — игра́ть в футбо́л
Швейца́рия — встава́ть ра́но

  **Отвечаем на вопросы:**

- Где мно́го рабо́тают?
- Где хорошо́ игра́ют в футбо́л?
- Где хорошо́ живу́т?
- Где гото́вят ка́рри?
- Где де́лают маши́ны?
- Где лю́бят социали́зм?
- Где говоря́т по-испа́нски?
- Где лю́бят су́ши и сумо́?
- Где де́лают компью́теры?
- Где пла́вают зимо́й?

  **Вы знаете эти страны? Вы там были?**

Аме́рика

Швейца́рия

Ита́лия

И́ндия

Каки́е там языки́? Как лю́ди там живу́т? Како́й у них хара́ктер?
Где хорошо́ жить, рабо́тать, отдыха́ть?

Читаем тексты и выбираем слова:

Америка́нцы живу́т (**бога́то/бе́дно**), потому́ что рабо́тают (**мно́го/ма́ло**), а отдыха́ют (**мно́го/ма́ло**). Говоря́т, что они́ о́чень (**акти́вные/пасси́вные**). **Все** ду́мают, что америка́нцы живу́т сли́шком (**хорошо́/пло́хо**), но э́то непра́вда. Жить **там** не о́чень легко́. Лю́ди встаю́т (**ра́но/по́здно**) у́тром и акти́вно рабо́тают **весь день**. **В Аме́рике** ва́жно де́лать **би́знес**. **Америка́нцы** ду́мают, Аме́рика — (**идеа́льная/ужа́сная**) страна́. Но там то́же есть пробле́мы. Медици́на и университе́ты о́чень (**дороги́е/дешёвые**), и есть места́, где опа́сно гуля́ть **ве́чером**.

И́ндия — **уника́льная** страна́. **Там** краси́вая приро́да, **интере́сная** культу́ра и **больши́е** контра́сты: лю́ди живу́т о́чень **бе́дно** и́ли о́чень бога́то, **акти́вно** и́ли пасси́вно, рабо́тают **о́чень мно́го** и́ли о́чень ма́ло. Говоря́т, что **в И́ндии** дово́льно (**опа́сно/безопа́сно**), но **отдыха́ть** там о́чень популя́рно, потому́ что там (**дёшево/до́рого**) и о́чень (**интере́сно/ску́чно**). Е́сли **вы** тури́ст, то **пла́вать в Га́нге** глу́по, но е́сли вы живёте в И́ндии, то э́то норма́льно.

 **Слушаем и проверяем.**

ТВ64

 **Потом спрашиваем:** Кто? Что? Где? Когда? Сколько? Какой? Какое? Какая? Какие? Как? Что делать?

Модель: Америка́нцы живу́т **бога́то**. — **Как**?

Урок 23

писать

я пишу́ ты пи́шешь он/она́ пи́шет	мы пи́шем вы пи́шете они́ пи́шут	+ AccUsative
он писа́л — она́ писа́ла — они́ писа́ли		

1 

Писа́тель .... кни́гу.

Журнали́сты .... статьи́.

Я худо́жник. Я .... карти́ны.

Проко́фьев .... му́зыку.

Мы сли́шком ча́сто .... те́сты.

Вы ча́сто .... сообще́ния?

2 

1. Писа́тель .... кни́ги.
2. Журнали́сты .... статьи́ и бло́ги.
3. Вы хорошо́ .... резюме́?
4. Я ду́маю, о́чень тру́дно .... по-кита́йски.
5. В шко́ле я .... мно́го, а сейча́с я .... ма́ло.
6. Мы ка́ждый день .... в Интерне́те.
7. Вы смо́трите фотогра́фии и .... коммента́рии?
8. Я ничего́ не понима́ю! Ты .... как врач!

O + PREPOSITIONAL № 6

говори́ть расска́зывать чита́ть писа́ть ду́мать мечта́ть разгова́ривать	**О КОМ?** **О ЧЁМ?**	о му́зыке о президе́нте о би́знесе о рабо́те о жи́зни о Росси́и о лю́дях

он m.	оно n.	она f.	они pl.
-Е / -И			-АХ / -ЯХ
о би́знесе о Маври́кии	о мо́ре о зада́нии	о рабо́те о Росси́и о любви́	о пробле́мах о друзья́х

Все де́вушки мечта́ют **о** при́нце.
Де́ти мечта́ют **о** соба́ке.

Все поли́тики говоря́т **о** ми́ре.
Пессими́сты ду́мают **о** пробле́мах.

 **О ком и о чём они думают? А вы?**

хозя́ин

соба́ка

«Роме́о и Джулье́тта» — э́то исто́рия
Би́блия — э́то кни́га
«Тита́ник» — э́то фильм
«Но́вости» — э́то телепрогра́мма
«Росси́йская газе́та» — э́то газе́та
«Спорт-Экспре́сс» — э́то газе́та
«Капита́л» — э́то кни́га
«Тарза́н» — э́то фильм
«Экономи́ст» — э́то журна́л
«Культу́ра» — э́то телекана́л

поли́тика
культу́ра
джу́нгли
де́ньги
катастро́фа
Бо́г
любо́вь — о любви́
эконо́мика
спорт
Росси́я

Ваши примеры?

5  **Делаем диалоги в группе:**

Модели:

— **О чём** вы лю́бите говори́ть?
— Я люблю́ говори́ть о футбо́ле.

— **О ком** вы лю́бите говори́ть?
— Я люблю́ говори́ть о спортсме́нах.

- О чём вы лю́бите говори́ть?
- О чём вы мечта́ете?
- О ком все говоря́т?
- О чём вы не хоти́те говори́ть?
- О чём вы говори́те на рабо́те? А до́ма?
- О чём и о ком пи́шут в Интерне́те?
- О чём лю́бят говори́ть: же́нщины? мужчи́ны? студе́нты? пенсионе́ры?

дом	семья́	рабо́та	де́ньги	здоро́вье	пого́да
свобо́да	поли́тика	эконо́мика	карье́ра	война́	кри́зис
жизнь	рели́гия	мигра́нты	би́знес	пробле́мы	о́тдых
любо́вь	же́нщины	де́ти	му́зыка	спорт	мо́да

я	— **обо мне**	мы	— **о нас**
ты	— **о тебе́**	вы	— **о вас**
он / оно́	— **о нём**	они́	— **о них**
она́	— **о ней**		

6 

1. Я люблю́ тебя́. Я всё вре́мя ду́маю ....
2. У меня́ есть пробле́мы, но я не люблю́ говори́ть ....
3. Моя́ жена́ всегда́ ду́мает .... , а я — .... Мы идеа́льная па́ра!
4. Мы поли́тики. Журнали́сты мно́го пи́шут ....
5. Вы популя́рный челове́к! Я мно́го чита́л ....
6. У меня́ есть секре́т. Никто́ не зна́ет ....
7. Мой кот — эгои́ст. Он абсолю́тно не ду́мает .... !

7  ТВ65

Слушаем диалоги. О ком и о чём они говорят? Пишем номера:

☐ пого́да ☐ актри́са ☐ кри́зис ☐ футбо́л
☐ экза́мен ☐ бале́т ☐ рестора́н ☐ дире́ктор

8 **Смотрим на картинки и слова, пишем номера:**

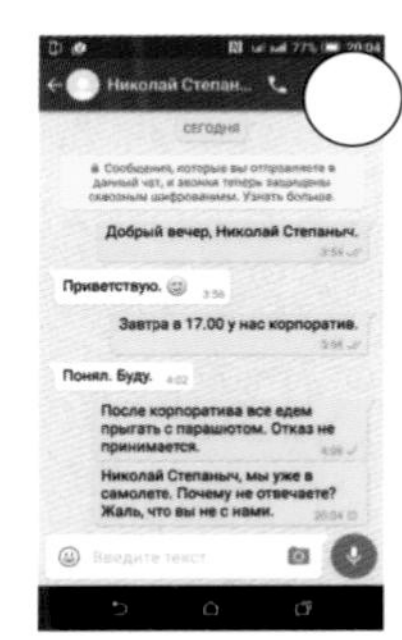

1. рома́н
2. статья́
3. стихи́
4. ска́зка
5. сообще́ние
6. зако́н
7. расска́з
8. резюме́

- **Что они пишут?** • писа́тели • поэ́ты • журнали́сты • депута́ты
- **Что вы пишете? Что вы писали раньше?**

  **Читаем текст:**

Свен пишет письмо

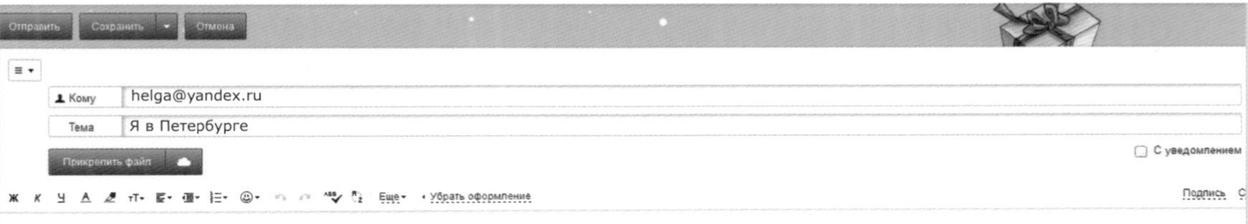

Приве́т, дорога́я Хе́льга!

Как дела́, как пого́да в Стокго́льме?

Как ты зна́ешь, я в Петербу́рге, здесь сейча́с экологи́ческая конфере́нция. Ещё я, как обы́чно, изуча́ю ру́сский язы́к. Шко́ла у нас небольша́я, но хоро́шая. Мы мно́го говори́м, чита́ем и пи́шем по-ру́сски: о Росси́и и о ми́ре, о семье́ и о рабо́те, о поли́тике и об эконо́мике. Ещё мы игра́ем на уро́ке. Мы уже́ непло́хо понима́ем по-ру́сски, а говори́м ме́дленно, но пра́вильно. В шко́ле есть неме́цкие, италья́нские, францу́зские и брита́нские студе́нты. Коне́чно, здесь все говоря́т по-ру́сски: в магази́не, на у́лице, в рестора́не, в музе́е. До́ма я иногда́ смотрю́ телеви́зор, но понима́ю ещё о́чень ма́ло. Пра́вда, мой ру́сский друг И́горь говори́т, что иногда́ он то́же пло́хо понима́ет, о чём говоря́т.

У нас о́чень хоро́шая учи́тельница. Её зову́т А́нна Ива́новна. У неё голубы́е глаза́ и све́тлые во́лосы, как у тебя́. Она́ говори́т по-ру́сски, по-неме́цки и по-англи́йски.

Я живу́ в це́нтре. Ве́чером я ча́сто гуля́ю. Здесь краси́вые дома́, хоро́шие рестора́ны. Ты мо́жешь смотре́ть мои́ фотогра́фии в «Инстагра́ме» — ка́ждый день есть но́вые! Я уже́ был на экску́рсии в Эрмита́же и в теа́тре на бале́те «Лебеди́ное о́зеро». Э́то фанта́стика!

Я люблю́ тебя́ и всё вре́мя ду́маю о тебе́.

Твой Свен

 **Отвечаем на вопросы:**

- Где сейча́с Свен и его́ жена́?
- Как зову́т его́ жену́?
- Что он де́лает на уро́ке?
- О чём говоря́т студе́нты на уро́ке?
- Как он говори́т и понима́ет по-ру́сски?
- Что Свен де́лает ве́чером?
- Где он уже́ был в Петербу́рге?
- О ком он ча́сто ду́мает?

ПРОДУКТЫ

ЕСТЬ

я ем ты ешь он/она́ ест	мы еди́м вы еди́те они́ едя́т	+ AccUsative

он **ел** — она́ **е́ла** — они́ **е́ли**

1

1. Ты ча́сто .... фастфу́д?
2. Я на дие́те. Я не .... хлеб.
3. Все мужчи́ны .... мя́со.
4. Вы не .... фру́кты? У вас аллерги́я?
5. Спортсме́н .... как тигр.
6. Ра́ньше лю́ди .... то́лько натура́льные проду́кты.
7. Уже́ ночь! Почему́ ты .... ?
8. Мы тури́сты. Мы .... борщ и блины́.

Проду́кты

Мя́со, пти́ца:

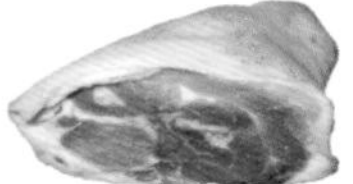
свини́на

говя́дина

бара́нина

ку́рица

инде́йка

Мясны́е проду́кты:

колбаса́

ветчина́

соси́ска(и)

беко́н

Ры́ба, морепроду́кты:

ры́ба

лосо́сь

икра́

креве́тка

кальма́р

О́вощи:

карто́шка

морко́вка

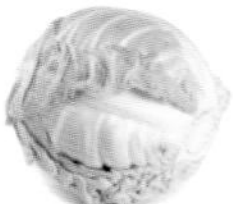
капу́ста

помидо́р

свёкла

лук

пе́рец

огуре́ц

кабачо́к

баклажа́н

чесно́к

зе́лень

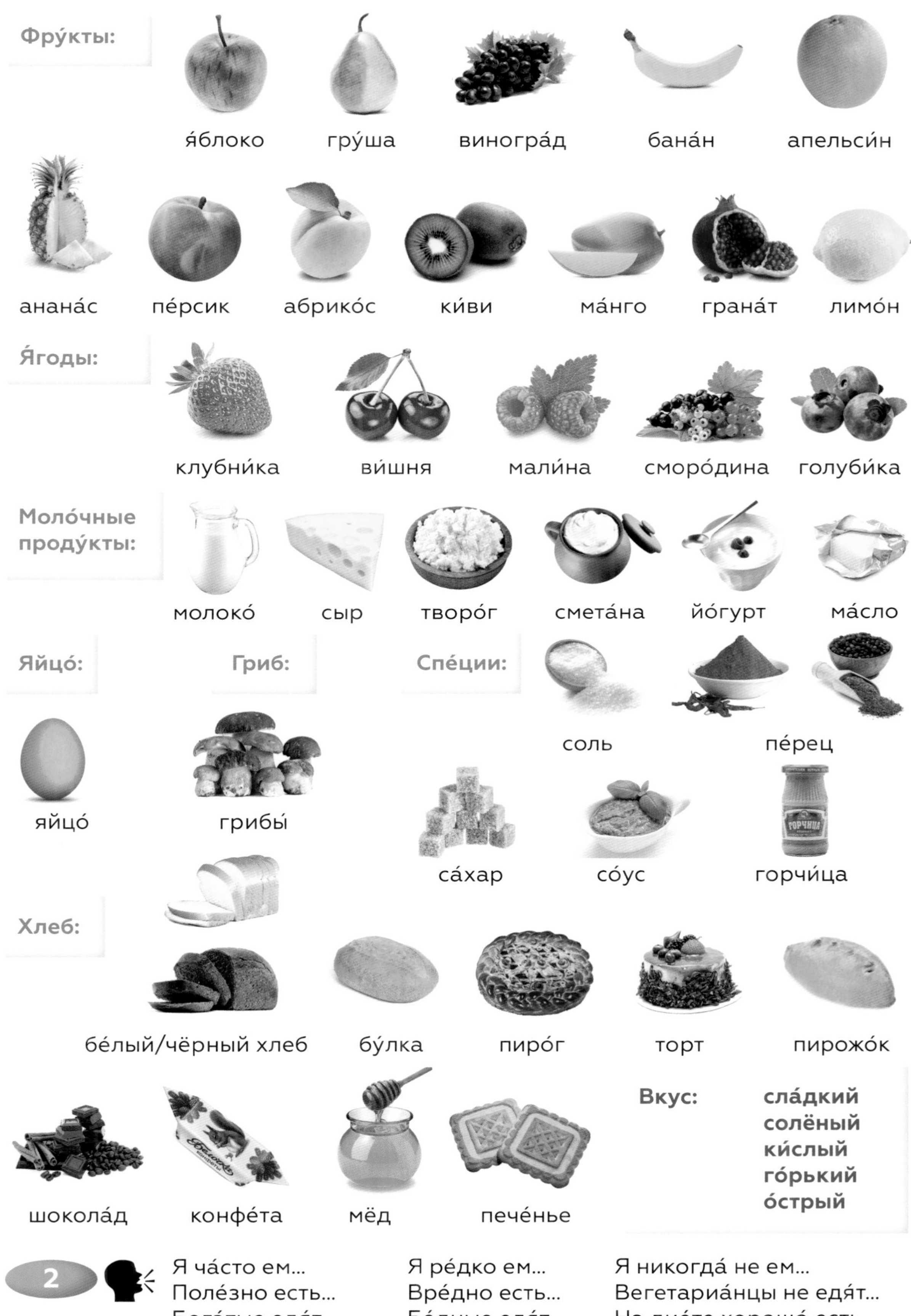

Фру́кты:

я́блоко | гру́ша | виногра́д | бана́н | апельси́н

анана́с | пе́рсик | абрико́с | ки́ви | ма́нго | грана́т | лимо́н

Я́годы:

клубни́ка | ви́шня | мали́на | сморо́дина | голуби́ка

Моло́чные проду́кты:

молоко́ | сыр | творо́г | смета́на | йо́гурт | ма́сло

Яйцо́: яйцо́

Гриб: грибы́

Спе́ции: соль | пе́рец | са́хар | со́ус | горчи́ца

Хлеб:

бе́лый/чёрный хлеб | бу́лка | пиро́г | торт | пирожо́к

шокола́д | конфе́та | мёд | пече́нье

Вкус:
сла́дкий
солёный
ки́слый
го́рький
о́стрый

2

Я ча́сто ем...
Поле́зно есть...
Бога́тые едя́т...

Я ре́дко ем...
Вре́дно есть...
Бе́дные едя́т...

Я никогда́ не ем...
Вегетариа́нцы не едя́т...
На дие́те хорошо́ есть...

ПИТЬ

я пью ты пьёшь он/она́ пьёт	мы пьём вы пьёте они́ пьют	+ AccUsativ

он пи**л** – она́ пи**ла́** – они́ пи́**ли**

3

1. Почему́ музыка́нты мно́го .... ?
2. В о́фисе мы всё вре́мя .... ко́фе.
3. Я не .... ко́лу и фа́нту, потому́ что э́то хи́мия.
4. Ра́ньше все .... то́лько во́ду.
5. Я .... антидепресса́нты, потому́ что у меня́ стресс. Что вы .... , когда́ у вас стресс?
6. Сего́дня я пло́хо говорю́ по-ру́сски, потому́ что вчера́ я мно́го ....
7. Что вы .... , когда́ вы у́жинаете в рестора́не?
8. Моя́ ко́шка .... молоко́, а я не ....

Напи́тки

Безалкого́льные напи́тки:
вода́, сок, чай, ко́фе, молоко́, квас

Алкого́льные напи́тки:
вино́, пи́во, во́дка, ликёр, ром

я́блоко — я́блочный сок
тома́т — тома́тный сок
виногра́д — виногра́дный сок
грейпфру́т — грейпфру́товый сок
апельси́н — апельси́новый сок
грана́т — грана́товый сок

4

Я ча́сто пью...
Поле́зно пить...
Я ре́дко пью...
Вре́дно пить...
Я никогда́ не пью...
Никто́ не пьёт...

5

Какие продукты хотят или не хотят эти люди? Где они сейчас?

TB66

БРАТЬ

я беру́ ты берёшь он/она́ берёт	мы берём вы берёте они́ беру́т

6

1. Почему́ вы не .... десе́рт?
2. Я .... ко́фе и сала́т.
3. Бизнесме́н .... креди́т в ба́нке.
4. Я не хочу́ .... твои́ де́ньги.
5. Мы .... биле́ты.
6. Студе́нты .... кни́ги в библиоте́ке.
7. Она́ .... де́ньги и су́мку.

- Что вы обы́чно берёте в рестора́не?
- Что вы обы́чно берёте в магази́не?
- Что вы никогда́ не берёте в кафе́?
- Вы лю́бите дие́ты?
- Почему́ лю́ди лю́бят дие́ты?
- Каки́е дие́ты вы зна́ете?
- Вы зна́ете эффекти́вную дие́ту?
- Вы сейча́с на дие́те?

Вы согласны?

- ☐ В Голливу́де краси́вые лю́ди, потому́ что они́ не едя́т мя́со.
- ☐ Е́сли челове́к на дие́те — зна́чит, у него́ плохо́е здоро́вье.
- ☐ Сего́дня сно́ва мо́дно есть как неандерта́льцы.
- ☐ Бана́ны и шокола́д — э́то то́же дие́та!
- ☐ Са́мая эффекти́вная дие́та — креди́т на кварти́ру.

Читаем текст:

Диетома́ния

Ра́ньше лю́ди е́ли, когда́ у них была́ еда́. Они́ е́ли, что у них бы́ло, и не ду́мали мно́го о здоро́вье. Пра́вда, здоро́вье у них бы́ло не о́чень хоро́шее и жизнь была́ коро́ткая. Сего́дня лю́ди ду́мают, что они́ едя́т, и ча́сто говоря́т: «Я э́то не ем! Я на дие́те!» Есть ра́зные дие́ты. Вот популя́рные и интере́сные вариа́нты.

Наприме́р, е́сли вы лю́бите исто́рию и тради́ции, есть палеодие́та. Её при́нцип — есть так, как е́ли лю́ди ра́ньше. В палеодие́те не едя́т хлеб, са́хар, молоко́ и други́е «совреме́нные» проду́кты, но едя́т мя́со, ры́бу, о́вощи и оре́хи.

Е́сть ещё одна́ интере́сная дие́та, говоря́т, что она́ о́чень эффекти́вная: вы еди́те всё, что хоти́те, но вы не еди́те па́сту и мя́со и́ли карто́шку и ры́бу вме́сте. Э́то про́сто, но вы не мо́жете есть пи́ццу и́ли лаза́нью...

О́чень популя́рная дие́та сего́дня — протеи́новая дие́та. Вы еди́те протеи́ны: мя́со, ры́бу, сыр, ку́рицу, но не еди́те са́хар, па́сту, карто́шку, фру́кты, не пьёте пи́во и йо́гурты.

Все смо́трят голливу́дские фи́льмы и зна́ют, что в Голливу́де живу́т краси́вые лю́ди. «Голливу́дская» дие́та, коне́чно, то́же популя́рная и эффекти́вная. Все хотя́т быть как актёры в Голливу́де! Пра́вило но́мер 1 — не за́втракать! А ещё нельзя́ есть хлеб, па́сту, пи́ццу, соль и нельзя́ пить алкого́ль. На обе́д едя́т яйцо́ и помидо́р и пьют ко́фе или зелёный чай. На у́жин едя́т ры́бу, капу́сту и огуре́ц.

Са́мая прия́тная дие́та — шокола́дная! Да, э́то зна́чит, что, когда́ вы на дие́те, вы еди́те шокола́д! А сейча́с плоха́я но́вость: вы еди́те то́лько шокола́д! И ещё пьёте ко́фе и чай. И всё. Да, есть ещё бана́новая дие́та. Я ду́маю, вы уже́ понима́ете её при́нцип...

Коне́чно, не все дие́ты эффекти́вные, а есть да́же опа́сные. Иногда́, е́сли челове́к на дие́те, в семье́ мо́жет быть конфли́кт, потому́ что тру́дно гото́вить и потому́ что лю́ди на дие́те иногда́ агресси́вные. Но е́сли вы на дие́те, зна́чит, вы ду́маете о здоро́вье — мо́жет быть, э́то непло́хо.

- **Что в какой диете можно есть, а что нельзя?**
- **Что вы думаете о палеодиете?**
- **Вы можете есть только шоколад?**
- **Какие продукты вы едите вместе, а какие нет?**
- **Как вы думаете, какая диета эффективная, а какая опасная?**

Урок 25

ADJECTIVE: ACCUSATIVE № 4

Мы о́чень лю́бим ру́сский язы́к и ру́сск**УЮ** грамма́тик**У**.

m.	n.	f.		pl.
Accus. = Nom.		Nom.	-АЯ / -ЯЯ	Accus. = Nom.
		Accus.	**-УЮ / -ЮЮ**	

Я люблю́ спорт. — Как**о́й**? — Акти́вн**ый** и не о́чень опа́сн**ый** спорт.
Я люблю́ му́зык**у**. — Как**У́Ю**? — Гро́мк**УЮ** и энерги́чн**УЮ** му́зык**У**.
Я люблю́ мо́р**е**. — Как**о́е**? — Кари́бск**ое** мо́р**е**.
Я люблю́ фи́льм**ы**. — Как**и́е**? — Ра́зн**ые** фи́льм**ы**.

1  **Я ХОЧУ / Я НЕ ХОЧУ:**

Модель: — Ты хо́чешь ску́чную рабо́ту?
— Коне́чно, нет! Я хочу́ интере́сную рабо́ту.

ску́чная рабо́та
краси́вая жизнь
больша́я соба́ка
большо́й дом
спорти́вная маши́на
хоро́шее здоро́вье
краси́вая фигу́ра
но́вая кварти́ра
бога́тая жена́
тру́дная рабо́та
дороги́е часы́
больша́я семья́

2  **СПРАШИВАЕМ И ОТВЕЧАЕМ: КАКОЙ? КАКУЮ? КАКОЕ? КАКИЕ?**

Модель:
Как... рабо́ту вы хоти́те? ⇨
— Как**у́ю** рабо́ту вы хоти́те?
— Я хочу́ интере́сн**ую**, креати́вн**ую** и лёгк**ую** рабо́ту.

- Как... языки́ вы изуча́ли?
- Как... дом вы хоти́те?
- Как... маши́ну вы не хоти́те?
- Как... фи́льмы вы не смо́трите?
- Как... му́зыку вы слу́шаете?
- Как... спорт вы не лю́бите?
- Как... мо́ре вы лю́бите?
- Как... пи́ццу вы покупа́ете?

ИСКАТЬ

я ищу́	мы и́щем
ты и́щешь	вы и́щете
он/она́ и́щет	они́ и́щут

Модель:
Что ты .... ? ⇨ Что ты и́щешь?

1. Кто меня́ .... ?
2. Где ты? Я тебя́ ....
3. «Они́ .... рабо́ту?» — «Нет, они́ .... де́ньги».
4. «Что вы .... ?» — «Я .... докуме́нты».
5. Тури́сты всегда́ .... дешёвые биле́ты.
6. Мы .... дешёвую гости́ницу в це́нтре.
7. Тру́дно .... пра́вду.
8. Все .... любо́вь.
9. Тури́сты .... хоро́шие рестора́ны.
10. Никто́ не .... пробле́мы.

 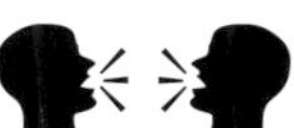

- Что вы ча́сто и́щете?
- Что обы́чно и́щут тури́сты?

но́вая рабо́та	дешёвая гости́ница	интере́сный фильм
хоро́ший рестора́н	но́вая му́зыка	беспла́тный Интерне́т
краси́вые сувени́ры	дешёвые биле́ты	ва́жная информа́ция
беспла́тные кни́ги	но́вые сериа́лы	больша́я любо́вь

- Что ещё вы и́щете?

ЦВЕТА

бе́лый, чёрный, кра́сный, ро́зовый

зелёный, си́ний, голубо́й, се́рый

жёлтый, ора́нжевый, фиоле́товый, кори́чневый

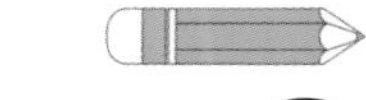 све́тло-зелёный

 тёмно-зелёный

Отвечаем на вопросы:

- Како́й ваш люби́мый цвет? А нелюби́мый?
- Како́й цвет же́нский, а како́й мужско́й?
- Како́й цвет позити́вный, а како́й ску́чный?

Читаем слова и выбираем цвет:

со́лнце	мо́ре	снег	фа́нта
я́блоко	де́ньги	фо́рма	шокола́д
чай	вино́	ваш флаг	росси́йский флаг
бана́ны	ро́за	соба́ка	кни́га «Пое́хали!»

TB67

6 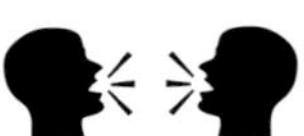   **Спрашиваем и отвечаем. Слушаем и пишем слова. Потом отвечаем на вопросы.**

Диалог 1

Вы любите дарить цветы? Какие цветы вы любите? Вы любите розы? Какие могут быть розы? Какие розы любите вы?

— У вас есть ________ ро́зы?
— Каки́е ро́зы? ________ ? Нет, есть ________ , ________ , ________ и да́же ________ .
— Спаси́бо, не на́до. Это сли́шком станда́ртно.

Вы тоже думаете, что красные розы — это слишком стандартно? Как вы думаете, голубые розы — это красиво?

Диалог 2

Какое море вы любите?
Где можно плавать, а где нельзя?
Вы можете плавать в море, если оно холодное?

— Алло́! Здра́вствуйте! Э́то авиака́сса? У вас есть биле́ты на ________ мо́ре?
— Извини́те, уже́ нет. Есть биле́ты то́лько на ________ мо́ре и на ________ .
— На ________ ? А где э́то? Там мо́жно пла́вать?
— Мо́жно, е́сли вы ________ медве́дь.
— Спаси́бо, не на́до. Мо́жно оди́н биле́т на ________ мо́ре в Со́чи?

Вы хотите билет на Белое море, на Чёрное или на Красное? Почему?

Диалог 3

Какой шоколад вы любите?
Какой шоколад вы ели?
Вы любите эксперименты?

— Ты бо́льше лю́бишь ________ и́ли ________ шокола́д?
— А что, есть други́е цвета́?
— Вчера́ я ел ________ шокола́д!
— ________ ? Стра́нный цвет. Я ел то́лько ________ и ________ .
— Да, ________ из Япо́нии.

Какие странные продукты вы знаете?

Диалог 4

Вы любите жить в городе? Почему?
У вас в городе есть снег? Белый? Вы видели голубой снег?

— Почему́ в го́роде всегда́ .... снег?
— Ну, маши́ны, тра́нспорт...
В лесу́ снег .... , а в гора́х .... !
— То́чно! В го́роде всё .... : снег, дома́, лю́ди

Какой цвет хорошо носить зимой? А летом?

Диалог 5

Как вы думаете, девушка может работать в полиции?
Ваша полиция носит красивую форму?

— Моя́ де́вушка рабо́тает в поли́ции. Ско́ро у неё день рожде́ния. Она́ о́чень лю́бит .... цвет. У вас есть .... фо́рма?
— Вы норма́льный?
— Я ду́мал, что да. Я не понима́ю, в чём пробле́ма.
— Рабо́та в поли́ции — мужска́я рабо́та, а .... — это же́нский цвет.

Как вы думаете, есть мужские профессии и женские цвета?

7 **Сегодня маркетолог — очень важная профессия. Бизнесмены и клиенты слушают и делают, что говорят маркетологи.**

  **Как вы думаете, какой цвет что значит? Потом слушаем, что говорят маркетологи.**

ТВ68

ЦВЕТ = ХАРАКТЕР

романти́чный, энерги́чный, креати́вный, натура́льный, эли́тный, оптимисти́чный, серьёзный

Цвет	Я ду́маю:	Марке́то́логи говоря́т:
жёлтый		
кра́сный		
си́ний		
зелёный		
ро́зовый		
чёрный		
фиоле́товый		

 **Вы согласны или нет? Что вы думаете?**

ЭТО ≠ ЭТОТ, ЭТА, ЭТО, ЭТИ

Что э́то?	Како́й? Nom.	Како́й? Accus.
Э́то журна́л. 	**Э́тот журна́л** о́чень популя́рный.	Вы чита́ете **э́тот журна́л**?
Э́то маши́на. 	**Э́та маши́на** о́чень дорога́я.	Кто покупа́ет **э́ту маши́ну**?
Э́то Красное море. 	**Э́то мо́ре** тёплое и краси́вое.	Вы лю́бите **э́то мо́ре**?
Э́то часы. 	**Э́ти часы́** о́чень прести́жные.	Вы хоти́те **э́ти часы́**?

Э́то маши́ны.

Э́та маши́на дорога́я.

А э́та маши́на дешёвая.

Э́то часы́.

Э́ти часы́ мужски́е.

А э́ти часы́ же́нские.

8

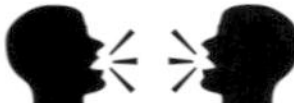

Модель:

— Что э́то?
— Э́то су́мки.
— Каки́е э́то су́мки?
— Э́та су́мка мужска́я, а э́та же́нская.
Каку́ю вы хоти́те?
— Я хочу́ вот э́ту же́нскую су́мку.

9  **Играем в аукцион!**

Вы хорошо́ уме́ете продава́ть? Продаём и покупа́ем антиквариа́т. Вы мо́жете купи́ть то́лько 3 ве́щи. Что вы покупа́ете? Почему́? Кто в гру́ппе са́мый хоро́ший продаве́ц?

Модель:

— **Э́то** картина. **Э́та** карти́на не о́чень краси́вая, но о́чень ста́рая и дорога́я... Вы хоти́те **э́ту** карти́ну?

— Извини́те, я не хочу́ **э́ту** ужа́сную карти́ну!

анти́чная скульпту́ра

анти́чная ва́за

ключи́

ста́рые часы́

ико́на

ста́рая Би́блия

моне́та

ста́рый телефо́н

самова́р

яйцо́ Фаберже́

пласти́нки

стари́нная гита́ра

стари́нное кольцо́

коро́на

ста́рая фотогра́фия

ста́рая маши́на

Урок 26

ОДЕЖДА

костю́м

брю́ки

джи́нсы

блу́зка

руба́шка

ко́фта

юбка

сви́тер

футбо́лка

пла́тье

штаны́ (спорти́вные)

шо́рты

ку́ртка

пальто́

шу́ба

ша́пка

носки́

трусы́

пла́вки

купа́льник

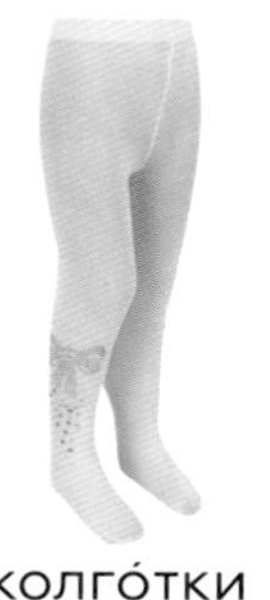
колго́тки

га́лстук

фо́рма

спорти́вный костю́м

ОБУВЬ

ту́фли

сапоги́

боти́нки

кроссо́вки

ке́ды

та́пки

ла́пти

Дайте примеры:

Мужска́я оде́жда...
Же́нская оде́жда...
Спорти́вная оде́жда...
Делова́я оде́жда...
Моя́ люби́мая оде́жда...
Моя́ нелюби́мая оде́жда...

НОСИТЬ

я ношу́	мы но́сим	
ты но́сишь	вы но́сите	+ Accus.
он/она́ но́сит	они́ но́сят	

1. Я у́мный, я .... очки́.
2. Живо́тные не .... оде́жду.
3. Кто .... зо́лото и бриллиа́нты?
4. Мы солда́ты, мы .... фо́рму.
5. Ра́ньше де́вушки не .... шо́рты.
6. Почему́ ты всё вре́мя .... э́ту футбо́лку?
7. Что вы .... на рабо́те?
8. Я не люблю́ .... га́лстук. А вы?

2 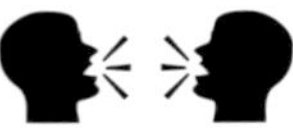 • **Что можно/нельзя/надо носить?**

в рестора́не	на пля́же	в о́фисе	на рабо́те
в фи́тнес-клу́бе	в шко́ле	в а́рмии	до́ма

- **Что вы обычно носите? Что не носят мужчины? Что все носят?**
- **Какую одежду вы носите дома? А на работе?**
- **Что неудобно носить?**

3 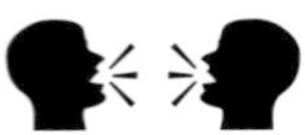  **Вы согласны? Почему?**

- ☐ Молоды́е лю́ди но́сят стра́нную оде́жду.
- ☐ В шко́ле на́до носи́ть фо́рму.
- ☐ Нельзя́ носи́ть дорогу́ю оде́жду, потому́ что есть бе́дные лю́ди.
- ☐ Га́лстук — э́то удо́бно и краси́во.
- ☐ Ва́жные лю́ди но́сят чёрную и се́рую оде́жду.

разные цвета

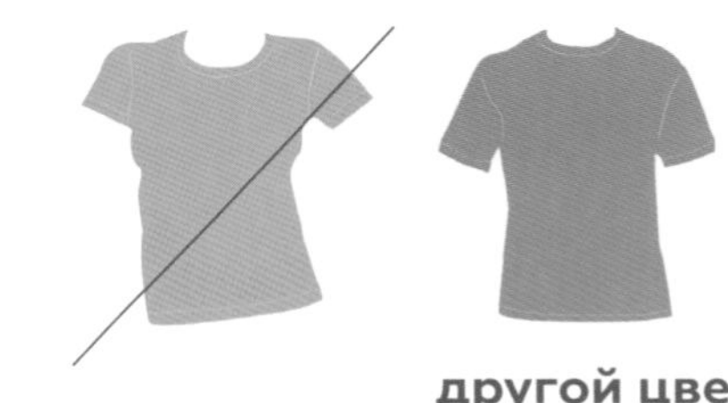
другой цвет

4    **Слушаем диалоги и пишем слова. Отвечаем на вопросы:**

TB69

Диалог 1

Вы любите носить джинсы? Какие у вас джинсы, голубые или синие?
Вы можете носить джинсы на работе?
Где нельзя их носить? Почему сегодня это популярная одежда?

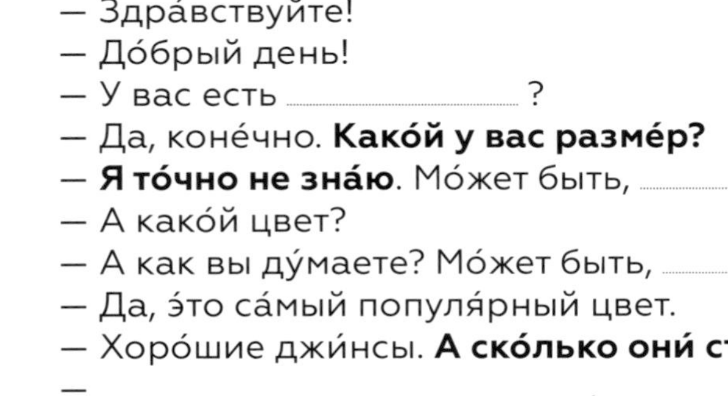

— Здра́вствуйте!
— До́брый день!
— У вас есть ………………… ?
— Да, коне́чно. **Како́й у вас разме́р?**
— **Я то́чно не зна́ю.** Мо́жет быть, ………………… .
— А како́й цвет?
— А как вы ду́маете? Мо́жет быть, ………………… ?
— Да, э́то са́мый популя́рный цвет.
— Хоро́шие джи́нсы. **А ско́лько они́ сто́ят?**
— ………………… ………………… .
— Спаси́бо, я их покупа́ю.

Диалог 2

Какие сувениры у вас есть?
Какие русские сувениры вы знаете?
Какие сувениры покупают туристы у вас в стране?
Вы типичный турист?

— До́брый день! Вы говори́те по-ру́сски?
— Да, **чуть-чу́ть.**
— Смотри́те, у нас прекра́сные .... вот традицио́нные ру́сские матрёшки, вот балала́йка и магни́ты.
— А .... матрёшки у вас есть?
— Есть ра́зные: больши́е и ма́ленькие, дороги́е и дешёвые. А каку́ю матрёшку вы хоти́те?
— Я ищу́ са́мую .... и недорогу́ю.
— Вы типи́чный тури́ст!

Диалог 3

Какие стереотипы о России вы знаете?
Какие стереотипы есть о вашей стране?

— До́брый день! Вы говори́те по-англи́йски?
— Ой, нет!
— **Жаль...** Я ещё пло́хо говорю́ по-ру́сски.
— А что вы хоти́те?
— Я хо́чу ру́сскую ....
— Почему́ тури́сты лю́бят эти .... ? Ру́сские их не .... , то́лько тури́сты. Это стереоти́п!
— **Пра́вда?** Я не знал.

Диалог 4

Вы покупаете футболки как сувенир?
Какую картинку на футболке вы хотите: Петербург, российский флаг, Ленин или Калашников? Почему?

— Здра́вствуйте! У вас есть футбо́лки?
— Да, мно́го. А каку́ю .... вы хоти́те?
— **Я то́чно не зна́ю.** А каки́е у вас есть?
— **Ра́зные.** Вот Петербу́рг, вот росси́йский флаг, а ещё есть Ле́нин и Кала́шников. Всё, что лю́бят тури́сты.
— Петербу́рг — это краси́во! Пожа́луйста, э́ту .... футбо́лку и э́тот магни́т.

Диалог 5

**У вас есть шуба? Кто в наше время носит шубы?
Как вы думаете, можно носить натуральную шубу или нет?**

— До́брый день! У вас есть .... ?
— Да, коне́чно! У нас са́мые краси́вые шу́бы! Вы хоти́те чёрную, ... и́ли кори́чневую?
— А **други́е** цвета́ у вас есть? Жёлтая, кра́сная и́ли .... ?
— Стра́нные цвета́! Извини́те, вы и́щете **натура́льную** шу́бу?
— Нет, коне́чно! В Евро́пе не но́сят натура́льные шу́бы, потому́ что мы лю́бим **приро́ду**.
— **Стра́нная ло́гика!** Я то́же люблю́ приро́ду. И я покупа́ю всё натура́льное. Вот, здесь у нас **синте́тика**: жёлтые шу́бы, ... , кра́сные и голубы́е.
— Пожа́луйста, вот э́ту, ... Хоро́шая шу́ба — и недорога́я.
— **Како́й разме́р?**
— .... У меня́ креди́тная ка́рта.
— Хорошо́, **спаси́бо за поку́пку!**

5 **Играем в магазин. В группе продаём свою одежду другим студентам!**

- Почему́ вы но́сите оде́жду?
- Каку́ю оде́жду вы но́сите на рабо́те?
- Вы мно́го ду́маете об оде́жде?
- Что сейча́с мо́дно носи́ть, а что немо́дно?
- Каку́ю оде́жду но́сят бога́тые, а каку́ю бе́дные?
- Что но́сят же́нщины, а что мужчи́ны? Почему́?

6   **Читаем, пишем слова:**

Что на́ша оде́жда говори́т о нас?

Я ду́маю, когда́ вы чита́ете э́тот текст, у вас есть оде́жда. А вы уже́ ду́мали, почему́ мы все и́ли почти́ все покупа́ем и но́сим оде́жду? И почему́ мы покупа́ем э́ту оде́жду, а не другу́ю? Коне́чно, потому́ что хо́лодно и́ли жа́рко и потому́ что мора́ль говори́т де́лать так. Но здесь игра́ют роль не то́лько мора́ль и пого́да: оде́жда — э́то ещё и си́мвол, и культу́рный код. Наприме́р, в Кита́е ра́ньше жёлтую оде́жду мог носи́ть то́лько импера́тор, а в Гре́ции бе́лую оде́жду носи́ли то́лько аристокра́ты.

Сего́дня ча́сто ду́мают, что и зна́чат, что у вас есть хоро́шая рабо́та и вы серьёзный челове́к. Но е́сли вы босс и миллионе́р, вы мо́жете на рабо́те носи́ть и .

А́рмия и поли́ция но́сят фо́рму — и э́то о́чень ва́жно, потому́ что э́та фо́рма даёт им власть, челове́к в фо́рме мо́жет де́лать о́чень мно́го.

Ра́ньше мужчи́ны и же́нщины носи́ли абсолю́тно ра́зную оде́жду: наприме́р, же́нщины никогда́ не носи́ли , а мужчи́ны . Сего́дня же́нщины ча́сто но́сят «мужску́ю» оде́жду, но мужчи́ны обы́чно не но́сят же́нскую.

Есть популя́рные бре́нды, их хорошо́ зна́ют все лю́ди в ми́ре, и э́ти бре́нды мно́го говоря́т о челове́ке, е́сли он их но́сит.

Оде́жда игра́ет большу́ю роль в субкульту́ре. Наприме́р, хи́ппи носи́ли просту́ю натура́льную оде́жду, джи́нсы и люби́ли этни́ческий стиль. Интере́сно, что в э́то вре́мя у хи́ппи джи́нсы — э́то социа́льный проте́ст, а в СССР э́то был буржуа́зный стиль, демонстра́ция, что вы бога́тый челове́к.

Иногда́ оде́жда — это религио́зный си́мвол, и лю́ди но́сят э́ту оде́жду, потому́ что ду́мают, что Бог так хо́чет.

Сего́дня уже́ есть но́вые, о́чень интере́сные техноло́гии, лю́ди мо́гут де́лать необы́чную, «у́мную» оде́жду: э́та оде́жда, наприме́р, меня́ет цвет, разме́р и температу́ру.

Мо́да — э́то больша́я и ва́жная индустри́я, лю́ди мно́го говоря́т и ду́мают о ней, а на́ша оде́жда о́чень мно́го говори́т о нас.

Отвечаем на вопросы:

- Каки́е популя́рные бре́нды вы зна́ете?
- Каку́ю религио́зную оде́жду вы зна́ете?
- Каку́ю оде́жду лю́бит Бог?
- Каку́ю оде́жду но́сят в а́рмии?
- Поче́му мужчи́ны не но́сят же́нскую оде́жду?
- Что ва́ша оде́жда говори́т о вас?

Урок 27

ИНТЕРНАЦИОНАЛЬНЫЕ СЛОВА

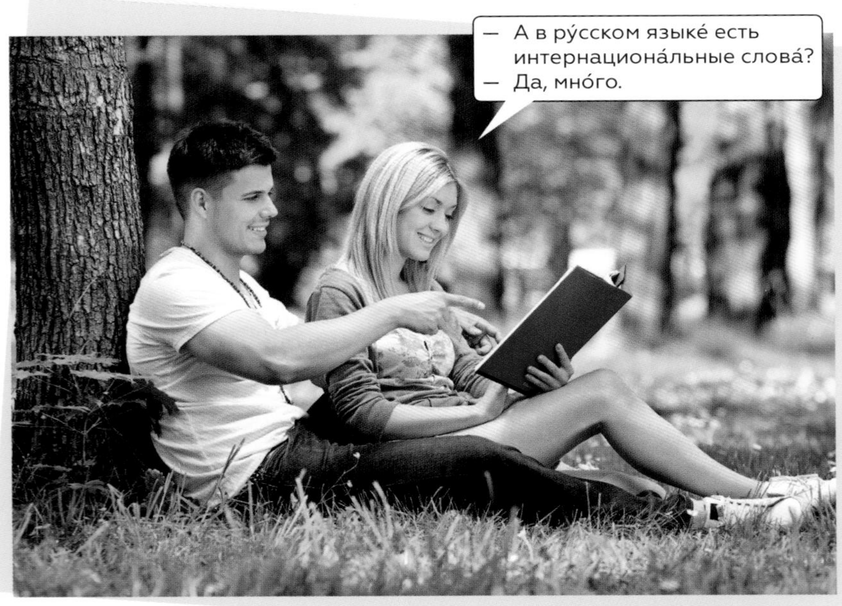

— А в ру́сском языке́ есть интернациона́льные слова́?
— Да, мно́го.

-tion
-cion = **-ция**
-zione

1  **Вы знаете, что значат эти слова? Читаем слова и говорим, хорошо это или плохо. Почему вы так думаете? Что думают другие студенты?**

Э́то хорошо́!
информа́ция
...

Э́то пло́хо!
корру́пция
...

информа́ция	организа́ция	корпора́ция	револю́ция
тради́ция	эволю́ция	опера́ция	ассоциа́ция
ситуа́ция	демонстра́ция	конститу́ция	коммуника́ция
эмо́ция	инфля́ция	федера́ция	иммигра́ция
реа́кция	колониза́ция	оппози́ция	корру́пция

2

- Где вы получа́ете информа́цию о ми́ре?
- Вы чита́ли ва́шу конститу́цию?
- У вас в стране́ есть оппози́ция? А корру́пция?
- У вас в стране́ больша́я иммигра́ция? А эмигра́ция?
- Каки́е больши́е корпора́ции вы зна́ете?
- Когда́ говоря́т о Росси́и, каки́е у вас ассоциа́ции?
- Каки́е ру́сские тради́ции вы зна́ете?
- Каки́е тради́ции есть у вас в семье́?
- Когда́ вы говори́те по-ру́сски, каки́е у вас эмо́ции?

ГЛАГОЛ: -ОВА-

рекоменд-ОВА́-ть

я рекомендУ́ю	мы рекомендУ́ем	-ОВА-	
ты рекомендУ́ешь	вы рекомендУ́ете	⇨	**-У-**
он/она́ рекомендУ́ет	они́ рекомендУ́ют	-ЕВА	

рекомендова́л – рекомендова́ла – рекомендова́ло – рекомендова́ли

Вы знаете эти слова? Что они значат?

фотографи́ровать	эмигри́ровать	консульти́ровать
импорти́ровать	рекомендова́ть	путеше́ствовать
экспорти́ровать	гаранти́ровать	про́бовать
регули́ровать	опери́ровать	танцева́ть
инвести́ровать	организова́ть	рисова́ть
финанси́ровать	тренирова́ть	целова́ть

3 **Делаем новые глаголы:**

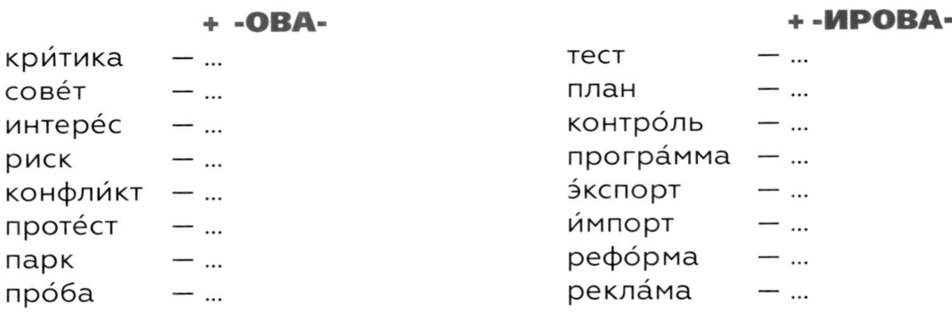

+ -ОВА-		+ -ИРОВА-	
кри́тика	— ...	тест	— ...
сове́т	— ...	план	— ...
интере́с	— ...	контро́ль	— ...
риск	— ...	програ́мма	— ...
конфли́кт	— ...	э́кспорт	— ...
проте́ст	— ...	и́мпорт	— ...
парк	— ...	рефо́рма	— ...
про́ба	— ...	рекла́ма	— ...

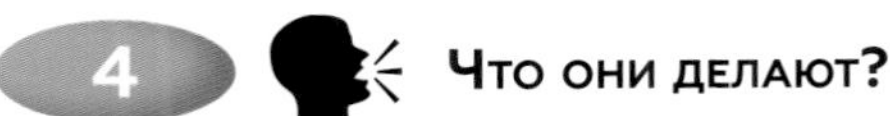

4 **Что они делают?**

Модель: Ма́ма ⇨ **Ма́ма контроли́рует, что де́лает ребёнок.**

фото́граф	балери́на	врач	ме́неджер
тури́ст	банк	тре́нер	полице́йские
худо́жник	муж и жена́	журнали́сты	па́рень и де́вушка

5

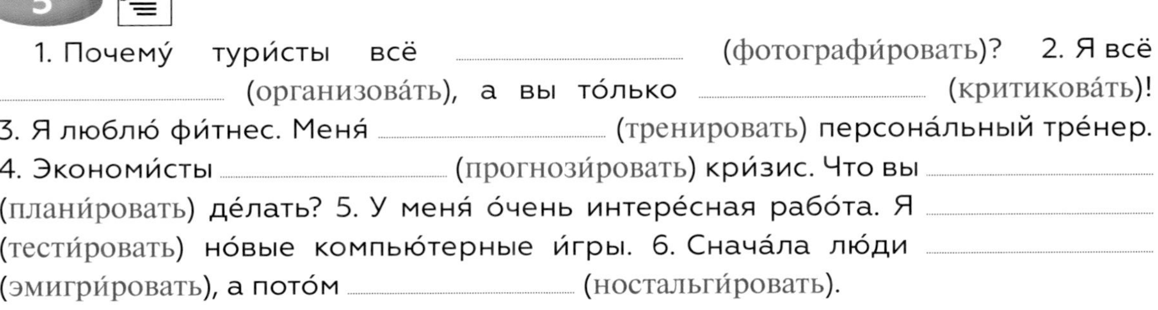

1. Почему́ тури́сты всё .... (фотографи́ровать)? 2. Я всё .... (организова́ть), а вы то́лько .... (критикова́ть)! 3. Я люблю́ фи́тнес. Меня́ .... (тренировать) персона́льный тре́нер. 4. Экономи́сты .... (прогнози́ровать) кри́зис. Что вы .... (плани́ровать) де́лать? 5. У меня́ о́чень интере́сная рабо́та. Я .... (тести́ровать) но́вые компью́терные и́гры. 6. Снача́ла лю́ди .... (эмигри́ровать), а пото́м .... (ностальги́ровать).

МЕНЯ ИНТЕРЕСУЕТ + NOMINATIVE № 1

Меня́ интересу́ет	эконо́мика спорт поли́тика	Ра́ньше **меня́**	интересова́л интересова́л**А** интересова́л**О** интересова́л**И**	би́знес му́зык**а** вс**ё** де́ньг**и**
Меня́ интересу́**ют**	де́ньги ша́хматы лю́ди			

Что вас интересу́ет? Что вас не интересу́ет? Что вас интересова́ло ра́ньше?

6  **Говорим!**

Модель: — **Вас** интересу́ет би́знес?
— Нет, **меня́** абсолю́тно не интересу́ет би́знес. **А вас**?
— **Меня́** то́же.

би́знес	карье́ра	де́ньги	мо́да	эколо́гия
же́нщины	футбо́л	спорт	бале́т	литерату́ра
поли́тика	эконо́мика	рели́гии	психоло́гия	нау́ка
биоло́гия	языки́	исто́рия	йо́га	Росси́я
астроло́гия	медици́на	де́ти	иску́сство	всё

7

рекоменд**ова́**ть	Вы рекоменду́ете изуча́ть ру́сский язы́к? Почему́? Что ещё вы рекоменду́ете изуча́ть? Что вы не рекоменду́ете де́лать?
танц**ева́**ть	Вы лю́бите танцева́ть? Вы хорошо́ танцу́ете? Где вы танцу́ете?
путеше́ств**ова**ть	Вы лю́бите путеше́ствовать? Вы мно́го путеше́ствуете? Где вы лю́бите путеше́ствовать?
плани́р**ова**ть	Что вы плани́руете де́лать ле́том? Вы всегда́ плани́руете дела́ и о́тдых? Вы всегда́ де́лаете то, что плани́руете?
рис**ова́**ть	Вы лю́бите рисова́ть? Вы хорошо́ рису́ете? Что вы хорошо́ рису́ете?
сове́т**ова**ть	Где вы сове́туете отдыха́ть? Вы лю́бите сове́товать? А слу́шать сове́ты?
критик**ова́**ть	Вы лю́бите критикова́ть? А слу́шать кри́тику? Кто вас критику́ет?

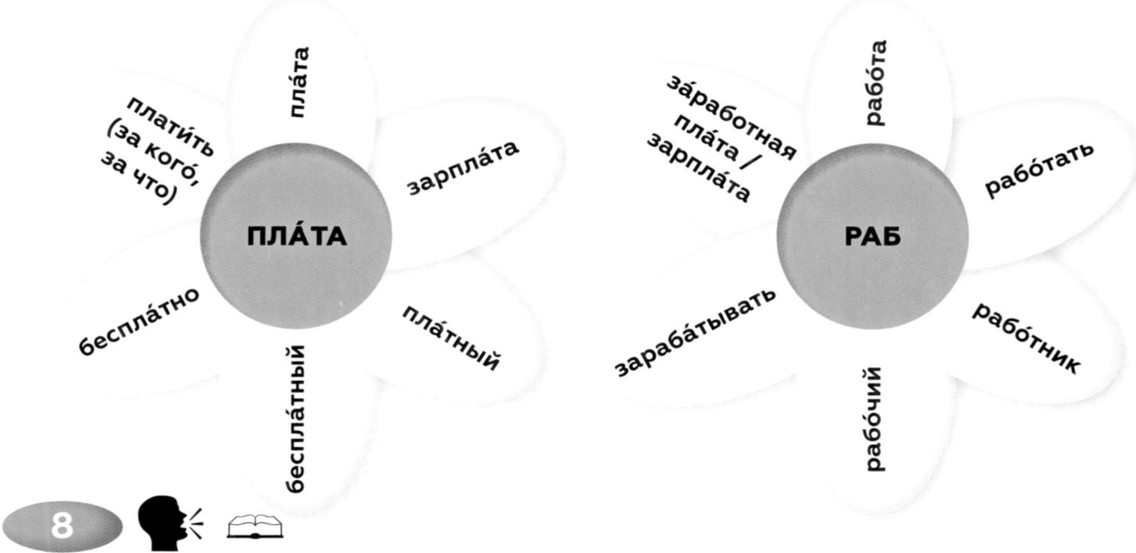

8

У вас есть работа? А деньги? Что вы делаете, когда у вас есть деньги? Вы инвестируете деньги или всё тратите? Во что можно инвестировать? Во что глупо инвестировать?

Инвести́ции и риски

Мы все и́ли почти́ все рабо́таем и **зараба́тываем** де́ньги. Е́сли у вас хоро́шая рабо́та и хоро́шая **зарпла́та**, вы **тра́тите** не всё, что зараба́тываете. Вы **пла́тите за** кварти́ру и тра́нспорт, покупа́ете оде́жду и проду́кты, отдыха́ете и да́же **путеше́ствуете**, и у вас ещё есть де́ньги. Э́то о́чень хоро́шая ситуа́ция, но есть пробле́ма: как инвести́ровать э́ти де́ньги?

Когда́ ва́ши де́ньги до́ма — э́то непракти́чно, потому́ что есть инфля́ция. Что де́лать? Есть ра́зные рекоменда́ции: наприме́р, в Росси́и популя́рно инвести́ровать в дома́ и кварти́ры. Говоря́т, что э́то **стаби́льный** и безопа́сный вариа́нт. Мо́жет быть, но, когда́ в эконо́мике **кри́зис**, продава́ть дома́ и кварти́ры тру́дно.

Ещё одна́ популя́рная инвести́ция — **зо́лото**, но где его́ **храни́ть**? В Аме́рике популя́рно инвести́ровать в **а́кции**. Иногда́ э́ти инвести́ции даю́т о́чень больши́е де́ньги, но э́то риск! Но, как говоря́т в Росси́и, кто не риску́ет, тот не пьёт шампа́нское! Коне́чно, сейча́с популя́рно инвести́ровать в **криптовалю́ты**. В Интерне́те мно́го пи́шут о **битко́йне**, и все хотя́т знать, что э́то и как э́то рабо́тает. Говоря́т, что риск о́чень большо́й, но перспекти́вы о́чень хоро́шие.

Наконе́ц, сего́дня **мо́дно** инвести́ровать в но́вый **о́пыт** и зна́ния: изуча́ть но́вые профе́ссии и языки́, путеше́ствовать — де́лать всё, что́бы жить лу́чше!

А вы знаете, как инвестировать? Что вы рекомендуете? Что вы думаете о принципе «Кто не рискует, тот не пьёт шампанское»? Как вы думаете, путешествие — это инвестиция?

9 **Дискуссия. Читаем ситуации. Что вы рекомендуете им делать?**

- А́лекс — бога́тый челове́к. У него́ есть де́ньги, но он не зна́ет, во что инвести́ровать.
- Вы бога́тые роди́тели. У вас есть до́чка. Она́ не хо́чет рабо́тать.
- Пётр — пенсионе́р. У него́ есть де́ти, вну́ки и о́чень ма́ленькая пе́нсия.
- Ро́берт — фина́нсовый анали́тик. Он пло́хо инвести́ровал де́ньги. Сейча́с он банкро́т.
- Вы молодо́й бизнесме́н. У вас есть старта́п, и вы и́щете де́ньги.

Урок 28

ADJECTIVE: PREPOSITIONAL № 6

он m.	оно n.	она f.	они pl.
(в) как**óм**? -ОМ/-ЕМ		(в) как**óй**? -ОЙ/-ЕЙ	(в) как**и́х**? -ЫХ/-ИХ

	Не́вский проспе́кт ⇨	Садо́вая у́лица ⇨	европе́йские стра́ны ⇨
ГДЕ?	на Не́вск**ом** проспе́кте	на Садо́в**ой** у́лице	в европе́йск**их** стра́нах

— Алло́! Ты где?
— Я сейча́с в кафе́.
— **В како́м?**

— Я изуча́ла ру́сский в шко́ле.
— Пра́вда? **В како́й?**

— У меня́ есть дом на о́строве!
— Пра́вда? **На како́м?**

— Я рабо́тал в ра́зных стра́нах.
— Здо́рово! **В каки́х?**

1  **Модель:** страна́ — жить ⇨
— **В како́й стране́** вы хоти́те жить? Почему́?
— Я хочу́ жить в ма́леньк**ой** и холо́дн**ой** стране́. Я люблю́ снег!

страна́ — отдыха́ть
го́род — жить
шко́ла — изуча́ть ру́сский
компа́ния — рабо́тать
рестора́ны — у́жинать
мо́ре — пла́вать
инструме́нт — игра́ть
фильм — игра́ть

ПЕРВЫЙ, ВТОРОЙ...

1 — пе́рвый
2 — второ́й
3 — тре́тий
4 — четвёртый
5 — пя́тый
6 — шесто́й
7 — седьмо́й
8 — восьмо́й
9 — девя́тый
10 — деся́тый

2  **Смотрим на картинку и говорим:**

Модель: — Что де́лают **на** пе́рв**ом** этаже́?
— **На** пе́рв**ом** этаже́ мужчи́на чита́ет...

ГДЕ НАХОДИТСЯ... ?

3  **Смотрим на план. Где что находится?**

Модель:
— Где нахо́дится Гости́ный Двор?
— Он нахо́дится на Не́вском проспе́кте.

1. Гости́ный Двор
2. Алекса́ндровская коло́нна
3. Каза́нский собо́р
4. Рестора́н «Метропо́ль»
5. Ру́сский музе́й
6. Кафе́ «Пы́шечная»
7. Сберба́нк
8. Рестора́н «Теремо́к»
9. Зи́мний дворе́ц
10. Гости́ница «Евро́па»

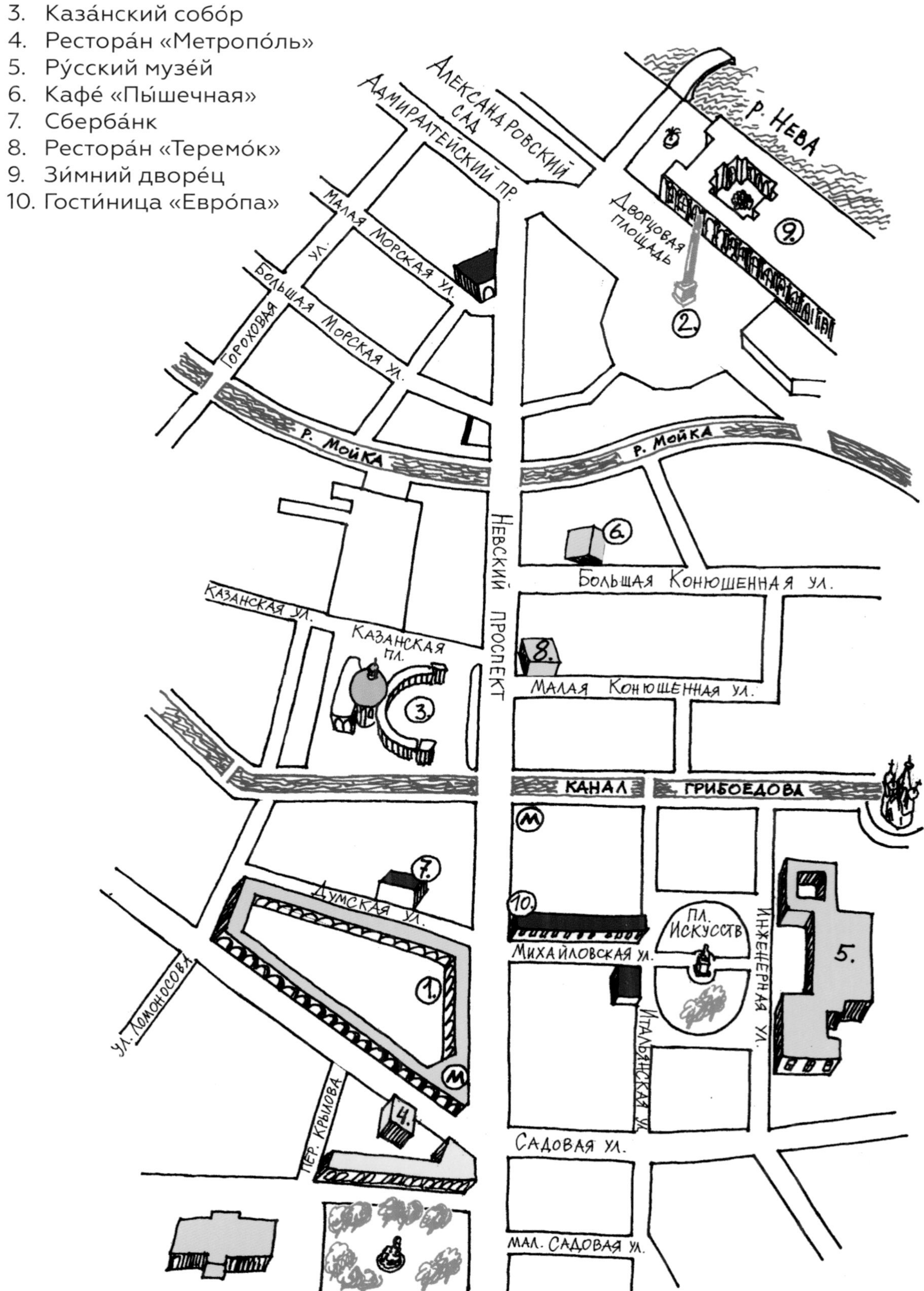

ДОМ. КВАРТИРА

Комнаты:

гости́ная

спа́льня

де́тская

ку́хня

столо́вая

ва́нная

туале́т

Где?	в гости́**ной**	в де́тск**ой**	в спа́льн**е**
	в столо́в**ой**	в ва́нн**ой**	в туале́т**е**

Ме́бель:

 стол
 стул
 крова́ть
 дива́н
 шкаф
 по́лка
 кре́сло

Посу́да:

 ча́шка
 стака́н
 таре́лка
 ча́йник
 ло́жка
 ви́лка
 нож

Те́хника:

 холоди́льник
 плита́
 утю́г
 посудомо́йка/посудомо́ечная маши́на

 микроволно́вка/микроволно́вая печь
стира́льная маши́на
 пылесо́с

В ва́нной:

 ва́нна
 душ
 ра́ковина
 кран
 полоте́нце
 мы́ло
 шампу́нь (m.)

 окно́
 дверь (f.)
 стена́
 пол
 у́гол

  **Марсианин делает всё неправильно. А вы как делаете?**

ку́хня **спа́льня** **ва́нная**

Он спит **на ку́хне**, у́жинает ...., смо́трит телеви́зор ....

гости́ная **туале́т** **балко́н**

Он за́втракает ...., чита́ет ...., принима́ет душ ....

5  **Вы знаете эти слова?**

Общежи́тие	ду́мать
Гла́вный	натура́льные проду́кты
Сту́дия	райо́н, где лю́ди живу́т, но не рабо́тают
Спа́льный райо́н	маленькая кварти́ра, где спа́льня и ку́хня вме́сте
Биопроду́кты	дом, где живу́т студе́нты
Счита́ть	са́мый ва́жный

  **Слушаем тексты и пишем, правда (+) или нет (–). Потом читаем:**

TB70

Текст 1

☐ 1. Ле́на и Серге́й — семья́. (–)
☐ 2. В кварти́ре есть гита́ра и пиани́но.
☐ 3. Серге́й игра́ет на пиани́но.
☐ 4. Кот здесь гла́вный.

Ка́тя, Ле́на и Серге́й — сосе́ди. Они́ у́чатся в Моско́вском университе́те. Жить в Москве́ до́рого, поэ́тому они́ живу́т в **общежи́тии**. Здесь живу́т то́лько студе́нты. Ка́тя и Ле́на живу́т в большо́й ко́мнате, у них есть

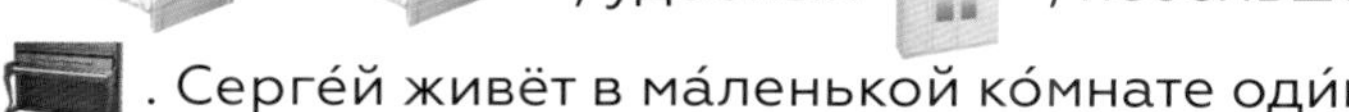

, удо́бный , небольшо́й в це́нтре и ста́рое

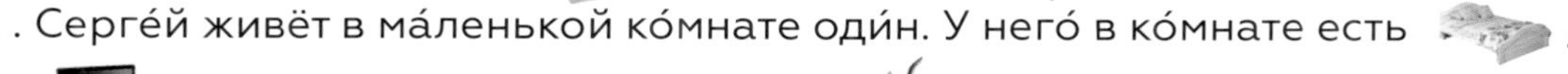

. Серге́й живёт в ма́ленькой ко́мнате оди́н. У него́ в ко́мнате есть ,

,  и . Ещё здесь живёт  . Он не студе́нт, но он здесь

гла́вный.

Пересказываем эту историю:

— Меня́ зову́т Ле́на... — Меня́ зову́т Серге́й... — Я кот...

Отвечаем на вопросы:

- **В ва́шем го́роде до́рого снима́ть кварти́ру?**
- **Вы жи́ли в общежи́тии? А хоти́те жить?**
- **Как вы ду́маете, э́то хоро́шая иде́я, когда́ студе́нты живу́т вме́сте?**
- **Каки́е есть плю́сы и ми́нусы?**

Текст 2

☐ 1. А́лекс — бога́тый арти́ст.
☐ 2. А́лекс рабо́тает до́ма.
☐ 3. А́лекс пи́шет кни́ги.
☐ 4. Жить в сту́дии неудо́бно.

Э́то А́лекс. Он бе́дный, но тала́нтливый худо́жник и живёт в ма́ленькой **сту́дии**. А́лекс рабо́тает до́ма, пи́шет   . В э́той кварти́ре есть ва́нная, туале́т и то́лько одна́ ко́мната. Э́то и гости́ная, и спа́льня, и ку́хня. В ко́мнате есть всё:  ,  ,  ,   ,  ,  и да́же  . Всё ря́дом, о́чень удо́бно!

Пересказываем эту историю: — Меня зовут Алекс...

- **Это пра́вда, что в ма́ленькой кварти́ре жить хорошо́, потому́ что всё ря́дом?**
- **Что хорошо́ и что пло́хо в ма́ленькой кварти́ре?**
- **Вы хоти́те рабо́тать до́ма?**
- **В душе́ вы худо́жник?**

Текст 3

☐ 1. Красноя́рск — э́то го́род на се́вере.
☐ 2. Зимо́й до́ма хо́лодно.
☐ 3. Петро́вы живу́т на шесто́м этаже́.
☐ 4. В спа́льне те́ннисный стол.

Мари́на и Алекса́ндр Петро́вы — муж и жена́. У них есть де́ти: ма́ленький сын Артём и до́чка Та́ня. Они́ все о́чень спорти́вные и акти́вные. Петро́вы живу́т в Красноя́рске, в **спа́льном райо́не**. Красноя́рск — э́то большо́й го́род в холо́дной Сиби́ри. Зимо́й на у́лице о́чень хо́лодно, но до́ма всегда́ тепло́, да́же жа́рко. Они́ живу́т в но́вом до́ме на седьмо́м этаже́ в необы́чной кварти́ре. У них в гости́ной стои́т не  , а  , в де́тской — большо́й спорти́вный ко́мплекс, а в ва́нной есть са́уна.

Пересказ: — Я Артём... — Я Та́ня...
— Меня́ зову́т Мари́на... — Меня́ зову́т Алекса́ндр...

- **Вы лю́бите спорт? Вы хоти́те в кварти́ре те́ннисный стол, билья́рд или са́уну?**
- **У вас до́ма хо́лодно и́ли жа́рко?**
- **Как вы ду́маете, вы мо́жете жить в Сиби́ри?**

Текст 4

☐ 1. Ба́бушка живёт в фи́тнес-клу́бе.
☐ 2. В гости́ной кни́ги и скульпту́ры.
☐ 3. В ку́хне всегда́ вку́сная еда́.
☐ 4. Вну́ки лю́бят биопроду́кты.

Их ба́бушка Варва́ра Петро́вна Петро́ва то́же живёт в э́том до́ме, но на шесто́м этаже́. Э́то о́чень-о́чень удо́бно! У неё до́ма не фи́тнес-клуб, а норма́льная кварти́ра: в гости́ной  ,  и ста́рые  .

В ма́ленькой ку́хне всегда́ вку́сная еда́. Вну́ки о́чень лю́бят быть у неё в гостя́х, есть не **биопроду́кты**, как до́ма, а  и шокола́дки. Жить ря́дом о́чень хорошо́, есть то́лько одна́ ма́ленькая пробле́ма: ба́бушка ча́сто не мо́жет спать, потому́ что у неё сли́шком акти́вные сосе́ди.

Пересказ:

— Меня́ зову́т Варва́ра Петро́вна... — Я Та́ня. У меня́ есть ба́бушка Варва́ра...

- **Вы ба́бушка? Почему́ вы так ду́маете?**
- **У вас то́же акти́вные сосе́ди? И́ли вы акти́вный сосе́д?**
- **У вас есть ста́рые фотогра́фии? Каки́е?**

Текст 5

☐ 1. Маргари́та живёт одна́.
☐ 2. У неё 23 ко́шки.
☐ 3. Ко́шки живу́т в шкафу́.
☐ 4. Сосе́ди лю́бят Маргари́ту.

Э́то Маргари́та. Она́ живёт не одна́. У неё до́ма 23  !  живу́т везде́: спят в спа́льне на её  , в гости́ной на , игра́ют в ва́нной и едя́т в ку́хне на  . Маргари́та ду́мает, что ко́шки – её жизнь и семья́. Сосе́ди счита́ют, что она́ ненорма́льная!

Пересказ:

— Меня́ зову́т Маргари́та... — Я ко́шка Му́рка...

- **У вас до́ма есть живо́тные?**
- **Как вы ду́маете, 23 ко́шки в кварти́ре – э́то норма́льно?**
- **Каки́е живо́тные мо́гут жить в кварти́ре, а каки́е – нет?**

Урок 29

VERBS OF MOTION

ИДТИ

я иду́ — мы идём
ты идёшь — вы идёте
он/она́ идёт — они́ иду́т

ХОДИТЬ

я хожу́ — мы хо́дим
ты хо́дишь — вы хо́дите
он/она́ хо́дит — они́ хо́дят

ЕХАТЬ

я е́ду — мы е́дем
ты е́дешь — вы е́дете
он/она́ е́дет — они́ е́дут

ЕЗДИТЬ

я е́зжу — мы е́здим
ты е́здишь — вы е́здите
он/она́ е́здит — они́ е́здят

сейча́с
за́втра

Сейча́с я **иду́** в университе́т.
За́втра я **иду́** на экза́мен.

Сейча́с я **е́ду** на трениро́вку.
Ско́ро я **е́ду** на Олимпиа́ду.

регуля́рно
ра́ньше

Я ка́ждый день **хожу́** в университе́т.
Вчера́ я **ходи́л** в библиоте́ку.

Я ка́ждый год **е́зжу** на мо́ре.
Вчера́ я **е́здил** в Москву́ де́лать ви́зу.

ИДТИ / ЕХАТЬ

1  **Что они делают?**

Ма́ма идёт.
Ребёнок е́дет.

Он .... в банк. Я .... в Сиби́рь. Мы .... в клуб.

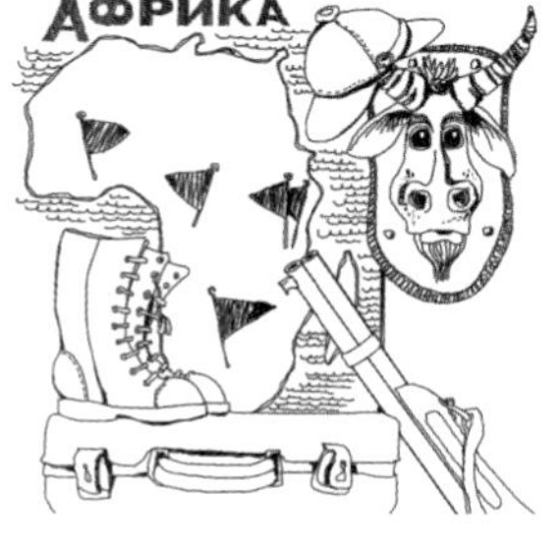

Он .... в А́фрику. Они́ .... в парк. Мы .... в Лас-Ве́гас.

идти́ ходи́ть	пешко́м	е́хать е́здить	**НА**	**На ЧЁМ?** маши́н**е** авто́бус**е** по́езд**е** велосипе́д**е** мотоци́кл**е** такси́ метро́

  **Что они делают?**

Когда неважно, пешком или на транспорте, а важна дистанция!

иди́ти — ходи́ть
лока́льно
в го́роде

е́хать — е́здить
далеко́
в друго́й го́род, страну́

Сего́дня мы **идём** на конце́рт.

Я ча́сто **хожу́** в теа́тр.

За́втра я **е́ду** в Ирку́тск.

Я ча́сто **е́зжу** в Сиби́рь.

4  **Идти или ехать?**

1. Мы .... в Брази́лию.
2. Вы .... в кафе́?
3. Президе́нт .... в аэропо́рт.
4. Куда́ вы .... у́жинать?
5. Они́ .... в Пари́ж.
6. Извини́те, я .... в туале́т.
7. Диплома́т .... в Япо́нию.
8. Уже́ по́здно! Я .... спать.

КУДА? ГДЕ?

кУда́? в/на + AccUs. ⇨ в МосквУ́	гдЕ? в/на + PrEp. в МосквЕ́

— Ты **куда́**?
— Я на рабо́т**у**.

— Ты **где**?
— Я на рабо́т**е**.

— Ты **куда́**?
— Я в бассе́йн.

— Ты **где**?
— Я в бассе́йн**е**.

Я иду́ **домо́й**.

Я е́ду **домо́й**.

Ко́шка **до́ма**.

Где? или Куда?

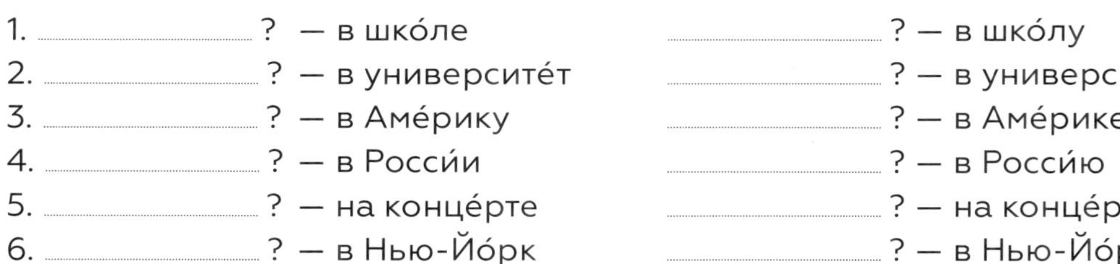

1. .... ? — в шко́ле .... ? — в шко́лу
2. .... ? — в университе́т .... ? — в университе́те
3. .... ? — в Аме́рику .... ? — в Аме́рике
4. .... ? — в Росси́и .... ? — в Росси́ю
5. .... ? — на конце́рте .... ? — на конце́рт
6. .... ? — в Нью-Йо́рк .... ? — в Нью-Йо́рке

Смотрим на картинки и пишем: где они или куда они идут/едут.

Модель: она́, теа́тр ⇨

Она́ идёт в теа́тр.

Она́ в теа́тре.

они́, футбо́л

....

....

он, Еги́пет

....

....

она́, шко́ла

....

....

я, А́фрика

....

....

он, бассе́йн

мы, сва́дьба

они́, Аме́рика

вы, И́ндия

7

План на день

Модель: Его́р: о́фис, рабо́та → кафе́, обе́д → встре́ча → да́ча.
У́тром Его́р **идёт** в о́фис на рабо́ту → днём он **идёт** в кафе́ на обе́д → пото́м **идёт** на встре́чу → ве́чером он **е́дет** на да́чу.

1. Майкл: университе́т → кафе́, обе́д → библиоте́ка → бассе́йн → дом.
2. Ми́ша: шко́ла → дом → футбо́л → «Макдо́налдс» → дом.
3. Ка́тя: Пари́ж → Лувр → рестора́н, у́жин → аэропо́рт.
4. И́горь: о́фис → кафе́ → банк → бокс → суперма́ркет → дом.
5. Ко́стя и А́ня: Рим → Колизе́й → Ватика́н, экску́рсия → аэропо́рт.

8

Кто куда сейчас идёт?

Модель: Я хочу́ ко́фе. — Сейча́с я иду́ в кафе́.

1. Я хочу́ есть. 2. Мы хоти́м гуля́ть. 3. Тури́сты хотя́т купи́ть сувени́ры. 4. Они́ хотя́т игра́ть в футбо́л. 5. Ты хо́чешь смотре́ть фильм. 6. Вы хоти́те смотре́ть карти́ны. 7. Я хочу́ танцева́ть. 8. Я хочу́ спать.

9

Кто куда едет?

Модель: Я хочу́ смотре́ть бейсбо́л. — Я ско́ро е́ду в Аме́рику.

1. Вы хоти́те пла́вать в мо́ре зимо́й. 2. Он хо́чет гуля́ть в гора́х. 3. Они́ хотя́т рисова́ть пирами́ды. 4. Она́ хо́чет танцева́ть на карнава́ле. 5. Ты хо́чешь слу́шать о́перу. 6. Мы хоти́м фотографи́ровать кора́ллы. 7. Я хочу́ де́лать би́знес. 8. Я хочу́ изуча́ть ру́сский.

Пишем идти или ехать в правильной форме. Потом слушаем и проверяем:

TB71

Диалог 1

идти́

— О́ля, а куда́ мы ______________ в суббо́ту?
— А что? Куда́ на́до ______________ в суббо́ту?
— Ну, я не зна́ю... Мо́жно в парк или в го́сти.
— Я не зна́ю... Я так уста́ла! Я не хочу́ никуда́ ______________ , я хочу́ быть до́ма!
— А я всё вре́мя на рабо́те, я хочу́ отдыха́ть! Идём в кино́, ты же любишь кино́!
— Ла́дно, а что там идёт?

Диалог 2

идти́

— Ди́ма, ты сего́дня до́ма?
— Нет, ты что, не по́мнишь? Сего́дня среда́. Я ______________ на футбо́л!
— Так, ты ______________ на футбо́л, ма́ма ______________ на фи́тнес, я ______________ в ба́ню. А кто ______________ в магази́н?
— Не зна́ю! Я могу́, магази́н рабо́тает ве́чером!

Диалог 3

е́хать

— Ты зна́ешь, куда́ ______________ Свен?
— Коне́чно, нет. А куда́?
— Он ______________ на Байка́л! Кру́то! Зна́ешь, я то́же хочу́!
— Ты хо́чешь ______________ в Сиби́рь? Я тебя́ не понима́ю. Не на́до ______________ в Си́бирь, здесь то́же хо́лодно!
— Ну, я говорю́, что я хочу́, но я не ______________ ! Я по́мню, мы вме́сте ле́том ______________ на мо́ре! Это то́же о́чень хорошо́!

11

Модель: — Я приглаша́ю тебя́ за́втра в рестора́н.
— Извини́, но я не могу́. Я иду́ на день рожде́ния.

рестора́н	клуб	экску́рсия	бар	бале́т	футбо́л
ле́кция	да́ча	Мальди́вы	са́уна	Ту́рция	вечери́нка
трениро́вка	кино́	день рожде́ния	экза́мен	пляж	конце́рт

Урок 30

VERBS OF MOTION

ИДТИ
ЕХАТЬ

ХОДИТЬ
ЕЗДИТЬ

всегда́ **ча́сто**
ка́ждый день **никогда́**

Я ча́сто е́зжу на такси́.

Я всегда́ хожу́ пешко́м.

Ко́шки никогда́ не е́здят на велосипе́де.

Я не люблю́ гото́вить.
Я люблю́ ходи́ть в кафе́.

1  **Это студенты. Они ходят в университет. А ещё у них есть хобби. Какие? Куда они обычно ходят в свободное время? А вы куда ходите? Куда вы не любите ходить?**

Модель:

⇨ Све́та хо́дит на те́ннис и в бассе́йн.

2 **Они живут в большом городе. На чём они обычно ездят? На чём вы обычно ездите? На чём вы не любите ездить?**

Модель:

Марк — Нью-Йо́рк
⇨ Марк живёт в Нью-Йо́рке и обы́чно **е́здит на такси́** или **хо́дит пешко́м**.

3

Ходи́ть или е́здить?

1. Я люблю́ риск, я ________ на мотоци́кле. 2. Все тури́сты ________ на бале́т. 3. Я не ________ в теа́тр, у меня́ есть телеви́зор! 4. Друзья́ ка́ждый год ________ в Крым. 5. Я люблю́ Восто́к, я ________ на йо́гу и на карате́. 6. Фана́ты ________ на футбо́л в ра́зные стра́ны. 7. Мои́ де́ти не ________ в «Макдо́налдс». 8. В Нью-Йо́рке лю́ди ________ бы́стро, а маши́ны ________ ме́дленно. 9. Моя́ соба́ка ________ гуля́ть у́тром и ве́чером. 10. Тури́сты ча́сто ________ в Евро́пу, потому́ что там о́чень краси́во.

4

Работаем в группе: спрашиваем, отвечаем и пишем «+» или «–».

Модель:
— Вы хо́дите в университе́т?
— Коне́чно, я ка́ждый день туда́ хожу́. Я же профе́ссор!

Кто?	университе́т	рабо́та	фи́тнес	теа́тр	метро́	це́рковь	мо́ре
Студе́нт 1							
Студе́нт 2							
Учи́тель							

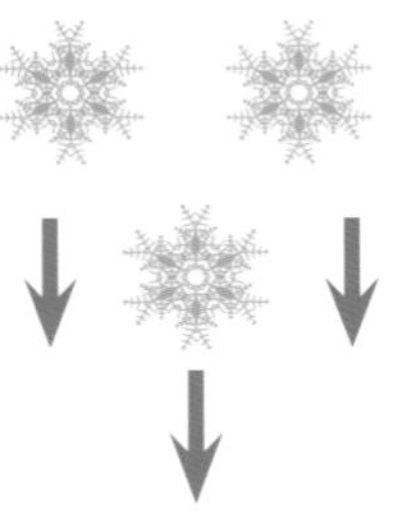

снег, дождь вре́мя, жизнь, война́ фильм, конце́рт, футбо́л	**сейча́с** **ча́сто** **ка́ждый день**	**идёт**

5

Идти́.

1. Ти́хо! ________ конце́рт. 2. Ле́том в теа́тре ка́ждый день ________ бале́т. 3. Не на́до ждать. Жизнь ________ о́чень бы́стро! 4. Где ча́сто ________ дожди́? 5. В Зимба́бве и на Ку́бе никогда́ не ________ снег. 6. Поли́ция не спит, когда́ в го́роде ________ футбо́л. 7. Де́ти лю́бят, когда́ ________ снег. 8. У меня́ плохо́й телеви́зор. Там всё вре́мя ________ рекла́ма.

БЫЛ + **где?** = **ходил** / **ездил** + **куда?**

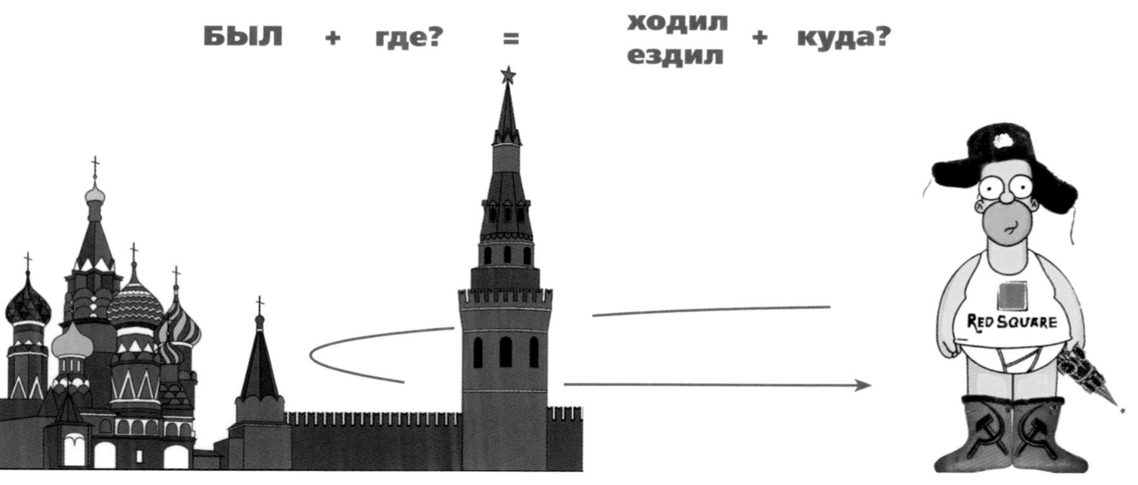

Гоме́р **был** в Москве́ в Кремле́. = Гоме́р **е́здил** в Москву́ и **ходи́л** в Кремль.

Вчера́ Том **был** в клу́б**е**. — Вчера́ Том **ходи́л** в клуб.

Ме́сяц наза́д он **был** на Яма́йк**е**. — Ме́сяц наза́д он **е́здил** на Яма́йк**у**.

Год наза́д он **был** в Ме́ксик**е**. — Год наза́д он **е́здил** в Ме́ксик**у**.

  **Слушаем и пишем номера. Куда ездили эти люди?**

 TB72

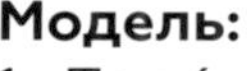

Модель:
1. Пари́ж – прекра́сный го́род! ⇨ Они бы́ли в Пари́же. Они е́здили в Пари́ж.

Места:

☐ Ме́ксика ☐ А́фрика ☐ Пари́ж
☐ Австра́лия ☐ Санкт-Петербу́рг ☐ Брази́лия

   **Слушаем и пишем номера. Куда они ходили?**

 TB73

Модель:
1. Отли́чный у́жин, то́лько вино́ сли́шком дорого́е! ⇨ Они́ ходи́ли в рестора́н.

Места́:

☐ музе́й ☐ теа́тр ☐ университе́т ☐ рабо́та

☐ рестора́н ☐ магази́н ☐ са́уна ☐ клуб

ПУТЕШЕСТВИЯ

8  **Куда они ездили и что они там делали?**

Модель:

Ма́ртин

Стамбу́л

⇨ Ма́ртин е́здил в Стамбу́л.
Там он ходи́л в музе́й и в кафе́,
е́здил на трамва́е.
Пого́да была́ норма́льная:
не хо́лодно и не жа́рко.
Ма́ртин ел до́нер
и пил ко́фе по-туре́цки.

Сама́нта

Нью-Йо́рк

Беа́та

Ита́лия

9  **Работа в группе по моделям. Спрашиваем и отвечаем:**

- Куда́ вы е́здили?
- Что вы там де́лали? Куда́ вы там ходи́ли?
- Кака́я была́ пого́да? Что вы там е́ли и пи́ли?

10  **Слушаем и пишем, что делали и делают Дубовы на этой неделе. А какие планы у вас? Потом спрашиваем: «Куда вы ходили в понедельник, вторник?..» — и пишем, что делал другой студент:**

ТВ74

	понеде́льник	вто́рник	среда́	четве́рг	пя́тница	суббо́та	воскресе́нье
Ду́бовы							
Студе́нт 1							
Студе́нт 2							

КУДА?	ГДЕ?
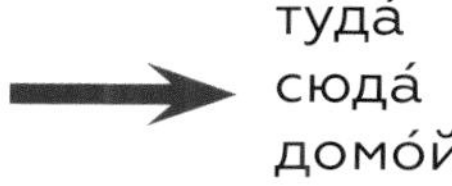 туда́ сюда́ домо́й	 там здесь до́ма

 11 

Я	.... хорошо́.	Дорого́й, ты уже́ ....
Иди́	Я хочу́	Я е́ду ....

 12  **Слушаем 1 раз и выбираем правильный ответ:**

TB75

Где рабо́тает э́тот челове́к?

☐ а) в Москве́ ☐ б) в такси́ ☐ в) в университе́те

Что он лю́бит?

☐ а) мотоци́клы ☐ б) маши́ны ☐ в) му́зыку

Что он не лю́бит?

☐ а) сиде́ть до́ма ☐ б) сиде́ть на у́лице ☐ в) е́здить в университе́т

Когда́ он лю́бит е́здить?

☐ а) когда́ идёт снег ☐ б) но́чью ☐ в) когда́ идёт дождь

О чём он мно́го говори́т?

☐ а) о здоро́вье ☐ б) о жи́зни ☐ в) о пого́де

Что он де́лает в выходны́е?

☐ а) хо́дит пешко́м ☐ б) е́здит на метро́ ☐ в) е́здит на такси́

ТВ75

Слушаем ещё раз и ищем ошибки (7):

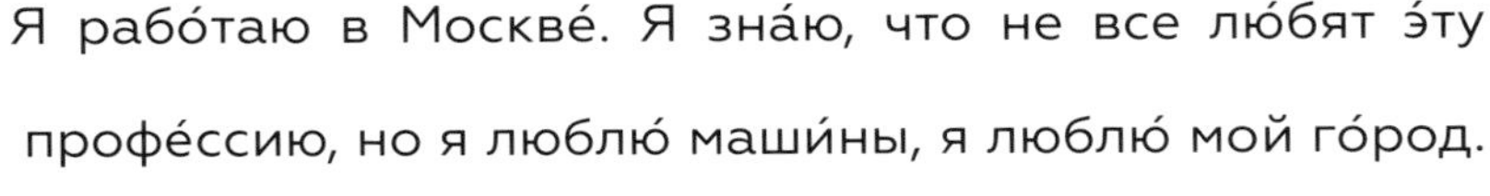

Я рабо́таю в Москве́. Я зна́ю, что не все лю́бят э́ту профе́ссию, но я люблю́ маши́ны, я люблю́ мой го́род. Я е́зжу день и ночь, да́же когда́ хо́дит снег или дождь. Коне́чно, я устаю́, но не люблю́ сиде́ть до́ма. Что там де́лать? Я живу́ оди́н. Говоря́т, движе́ние — жизнь, и я то́же так ду́маю. Я люблю́ е́здить но́чью, и пла́тят но́чью хорошо́: лю́ди хотя́т спать, а метро́ не рабо́тает! Я́сно, что не все клие́нты хоро́шие, но иногда́ есть о́чень интере́сные лю́ди. Мы мно́го говори́м: о жи́зни, о поли́тике, о футбо́ле, где они́ бы́ли, куда́ е́здили... Коне́чно, е́сли они́ хотя́т. Вот вчера́ я е́здил в университе́т, профе́ссор о́чень интере́сно расска́зывал... Я всегда́ зна́ю, куда́ хо́дят клие́нты, и хорошо́ их понима́ю: кто хо́чет е́хать ме́дленно, а кто осторо́жно, кто каку́ю му́зыку лю́бит, о чём хотя́т говори́ть. У меня́ интуи́ция. Выходны́е у меня́ ре́дко, и в выходны́е я отдыха́ю — иду́ пешко́м, да́же на метро́ не е́зжу!

Вы часто ездите на такси?
О чём вы любите говорить в такси?
Как вы думаете, таксист — хорошая профессия?
Вы любите машины?
Какую музыку вы слушаете в машине?
Вы любите ездить быстро?
У вас хорошая интуиция?
Вы любите сидеть дома?
Куда вы ходите в выходные?

13  **Что делать?**

- Ва́ши де́ти не хотя́т ходи́ть в шко́лу.
- Муж е́дет в о́тпуск оди́н. / Жена́ е́дет в о́тпуск одна́.
- Вы в такси́ и не понима́ете, куда́ е́дет маши́на.
- Вы идёте на рабо́ту и встреча́ете на у́лице ва́шу пе́рвую любо́вь.
- Вы идёте на па́спортный контро́ль в аэропорту́ и понима́ете, что ваш па́спорт до́ма.
- Вы хоти́те е́здить на рабо́ту на велосипе́де, но сейча́с снег.
- Вы е́дете в о́тпуск, но ва́ша креди́тная ка́рта не рабо́тает в друго́й стране́.

ПРИЛОЖЕНИЯ

Таблица 1. Падежные формы существительных

		m.	n.	f.	pl.
Nom. Кто? Что?	субъект	друг -Ø гость -ь	слово -О море -Е	сестра -А семья -Я жизнь -ь	-Ы -И туристы гости -А -Я слова моря
Gen. Кого? Чего?	у, для, до, после, без, кроме, вместо, около **Откуда?** из / с, от **Сколько?** 2.../5... много, мало, нет **Чей?**	друга -А гостя -Я	слова -А моря -Я	сестры -Ы семьи -И жизни -И	-ОВ -ЕЙ туристов гостей морей -Ø слов_ женщин_
Dat. Кому? Чему?	адресат к → по	другу -У гостю -Ю	слову -У морю -Ю	сестре -Е семье -Е жизни -и	туристам -АМ гостям -ЯМ
Accus. Кого? Что?	объект **Куда?** в / на →	= Gen. друга -А гостя -Я = Nom. фильм -ø	= Nom. слово -О море -Е	сестру -У семью -Ю жизнь -ь	= Gen. туристов женщин_ = Nom. фильмы слова
Instr. Кем? Чем?	с, перед, за, под, над, между, рядом с	другом -ОМ гостем -ЕМ	словом -ОМ морем -ЕМ	с сестрой -ОЙ с семьёй -ЕЙ / -ЁЙ жизнью -ЬЮ	туристами -АМИ гостями -ЯМИ
Prep. (О) ком? (О) чём?	**Где?** в / на о	в Милане о друге -Е о госте в комментарии -и	в слове -Е на море в задании -и	о сестре -Е в семье -Е в жизни -И в России -И	о туристах -АХ в гостях -ЯХ

Таблица 2. Падежные формы прилагательных

		m. Adj. / Noun	**n.** Adj. / Noun	**f.** Adj. / Noun	**pl.** Adj. / Noun
Nom. Кто? Что?	субъект	-ЫЙ -ø -ИЙ -ь -ОЙ новЫЙ друг	-ОЕ -О -ЕЕ -Е ЧёрнОЕ морЕ	-АЯ -А -ЯЯ -Я -ь молодАЯ женА	-ЫЕ -Ы -ИЕ -И -А / -Я богатЫЕ туристЫ
Gen. Кого? Чего?	у, для, до, после, без, кроме, вместо, около **Откуда?** из / с, от **Сколько?** 2.../5... много, мало, нет **Чей?**	-ОГО -А -ЕГО -Я новОГО другА	-ОГО -А -ЕГО -Я ЧёрнОГО морЯ	-ОЙ -Ы -ЕЙ -И молодОЙ женЫ	-ЫХ -ОВ -ИХ -ø -ЕЙ богатЫХ туристОВ новЫХ друзЕЙ
Dat. Кому? Чему?	адресат к → (person) по	-ОМУ -У -ЕМУ -Ю новОМУ другУ	-ОМУ -У -ЕМУ -Ю к ЧёрнОМУ морЮ	-ОЙ -Е -ЕЙ -и молодОЙ женЕ	-ЫМ -АМ -ИМ -ЯМ богатЫМ туристАМ
Accus. Кого? Что?	объект **Куда?** в / на → (building)	(person) = Gen. новОГО другА ■ = Nom. новЫЙ фильм	 ■ = Nom. ЧёрнОЕ морЕ	-УЮ -У -ЮЮ -Ю -Ь молодУЮ женУ	(persons) = Gen. богатЫХ туристОВ ■ ■ = Nom. новЫЕ фильмЫ
Instr. Кем? Чем?	с, перед, за, под, над, между, рядом с	-ЫМ -ОМ -ИМ -ЕМ с новЫМ другОМ	-ЫМ -ОМ -ИМ -ЕМ ЧёрнЫМ морЕМ	-ОЙ -ОЙ -ЕЙ -ЕЙ / -ЁЙ -ЬЮ молодОЙ женОЙ	-ЫМИ -АМИ -ИМИ -ЯМИ богатЫМИ туристАМИ
Prep. (О) ком? (О) чём?	**Где?** в / на (building) о	-ОМ -Е -ЕМ -и о новОМ другЕ	-ОМ -Е -ЕМ -и на ЧёрнОМ морЕ	-ОЙ -Е -ЕЙ -И о молодОЙ женЕ	-ЫХ -АХ -ИХ -ЯХ о богатЫХ туристАХ

Таблица 3. Падежные формы личных местоимений

Nom.	Я	Ты	Он / оно	Она	Мы	Вы	Они
Gen.	меня́	тебя́	(н)его́	(н)её	нас	вас	(н)их
Dat.	мне	тебе́	(н)ему́	(н)ей	нам	вам	(н)им
Accus.	меня́	тебя́	его́	её	нас	вас	их
Instr.	мной	тобо́й	(н)им	(н)ей	на́ми	ва́ми	(н)и́ми
Prep.	обо мне	о тебе́	о нём	о ней	о нас	о вас	о них

Таблица 4. Падежные формы притяжательных местоимений

<table>
<tr><td>Nom.</td><td>мой
твой
наш
ваш</td><td>моё
твоё
на́ше
ва́ше</td><td>моя́
твоя́
на́ша
ва́ша</td><td>мои́
твои́
на́ши
ва́ши</td><td rowspan="6">ЕГО́

ЕЁ

ИХ</td></tr>
<tr><td>Gen.</td><td colspan="2">моего́
твоего́
на́шего
ва́шего</td><td>мое́й
твое́й
на́шей
ва́шей</td><td>мои́х
твои́х
на́ших
ва́ших</td></tr>
<tr><td>Dat.</td><td colspan="2">моему́
твоему́
на́шему
ва́шему</td><td>= Gen.</td><td>мои́м
твои́м
на́шим
ва́шим</td></tr>
<tr><td>Accus.</td><td>👤 = Gen.
■ = Nom.</td><td>■ = Nom.</td><td>мою́
твою́
на́шу
ва́шу</td><td>👤 👤 = Gen.
■ ■ = Nom.</td></tr>
<tr><td>Instr.</td><td colspan="2">мои́м
твои́м
на́шим
ва́шим</td><td>= Gen.</td><td>мои́ми
твои́ми
на́шими
ва́шими</td></tr>
<tr><td>Prep.</td><td colspan="2">о моём
о твоём
о на́шем
о ва́шем</td><td>о мое́й
о твое́й
о на́шей
о ва́шей</td><td>о мои́х
о твои́х
о на́ших
о ва́ших</td></tr>
</table>

Таблица 5. Числительные

1 оди́н/одна́/одно́/одни́	**11** оди́ннадцать	**10** де́сять	**100** сто
2 два/две	**12** двена́дцать	**20** два́дцать	**200** две́сти
3 три	**13** трина́дцать	**30** три́дцать	**300** три́ста
4 четы́ре	**14** четы́рнадцать	**40** со́рок	**400** четы́реста
5 пять	**15** пятна́дцать	**50** пятьдеся́т	**500** пятьсо́т
6 шесть	**16** шестна́дцать	**60** шестьдеся́т	**600** шестьсо́т
7 семь	**17** семна́дцать	**70** се́мьдесят	**700** семьсо́т
8 во́семь	**18** восемна́дцать	**80** во́семьдесят	**800** восемьсо́т
9 де́вять	**19** девятна́дцать	**90** девяно́сто	**900** девятьсо́т
10 де́сять	**20** два́дцать	**100** сто	**1000** ты́сяча

1000 ты́сяча	**1 000 000** миллио́н
2000 две ты́сячи	**2 000 000** два миллио́на
5000 пять ты́сяч	**5 000 000** пять миллио́нов

1 пе́рвый	**6** шесто́й	**20** двадца́тый	**70** семидеся́тый
2 второ́й	**7** седьмо́й	**30** тридца́тый	**80** восьмидеся́тый
3 тре́тий	**8** восьмо́й	**40** сороково́й	**90** девяно́стый
4 четвёртый	**9** девя́тый	**50** пятидеся́тый	**95** девяно́сто пя́тый
5 пя́тый	**10** деся́тый	**60** шестидеся́тый	**2010** две ты́сячи деся́тый

Таблица 6. Когда?

В како́м году́?

1996 В ты́сяча девятьсо́т девяно́сто шесто́м году́.

2008 В две ты́сячи восьмо́м году́.

2025 В две ты́сячи два́дцать пя́том году́.

Како́го числа́?

07.01.2020 Седьмо́го января́ две ты́сячи двадца́того го́да.

02.09.1971 Второ́го сентября́ ты́сяча девятьсо́т се́мьдесят пе́рвого го́да.

вчера́	сего́дня	за́втра
ра́ньше неде́лю / ме́сяц / год наза́д	сейча́с	пото́м / ско́ро через неде́лю / ме́сяц / год
в про́шлый четве́рг в про́шлую суббо́ту	в э́тот четве́рг в э́ту суббо́ту	в сле́дующий четве́рг в сле́дующую суббо́ту
на про́шлой неде́ле в про́шлом ме́сяце в про́шлом году́	на э́той неде́ле в э́том ме́сяце в э́том году́	на сле́дующей неде́ле в сле́дующем ме́сяце в сле́дующем году́

Рекомендации для преподавателя

Уважаемые коллеги!

Сердечно благодарим за выбор нового «Поехали!». Надеемся, вы подружитесь и он станет вам добрым помощником. Мы получили большое удовольствие в процессе работы над книгой и верим, что вы получите не меньшее от работы с ней. Большинство трудностей, неизбежных в начале курса русского языка как иностранного, мы также постарались предусмотреть и по возможности предотвратить. Мы ни в чём не облегчали задачу себе, но постарались максимально облегчить вашу.

Для каких условий преподавания предназначен этот курс? Он написан на основе богатого опыта работы авторов в условиях как интенсива в частной языковой школе в языковой среде, так и обучения студентов европейских университетов вне языковой среды. В процессе апробации авторы успешно использовали новый «Поехали!» и для онлайн-курсов по «Скайпу». Наилучшие результаты курс даёт при обучении студентов — носителей европейского (в широком смысле) языка, менталитета и культурного багажа, но может вполне успешно, как и старый «Поехали!», использоваться в других культурно-языковых ареалах.

Возможно, вы взяли в руки новый «Поехали!», потому что вам нравился старый учебник. **Насколько курс изменился?** Спешим вас успокоить: курс сохранил многие черты, полюбившиеся преподавателям и студентам в ставшем уже классическим варианте: и семью Дубовых с их другом Свеном, и ориентацию на современный живой разговорный язык, но без уклона в сленг и просторечие, и сочетание коммуникативности (как мы её понимаем) с грамматической полнотой и академической строгостью в описании грамматической системы. Мы по-прежнему придерживаемся последовательности предъявления грамматики, основанной на чередовании глагольных и падежных тем. Как показала многолетняя практика, это позволяет учащимся двигаться вперёд достаточно быстро, не путая при этом недавно изученные формы и окончания. Сохранился важный для методики принцип преемственности: практически каждый следующий урок предполагает использование и повторение материала предыдущего.

Учебник покрывает **уровни А1–А2**, на них ориентирован объём грамматического и лексического материала. В то же время ради подготовки учащегося к реальному общению с носителями языка в аутентичных ситуациях нами были допущены некоторые **отступления** от стандартных требований ТРКИ.

Коммуникативность — тема, заслуживающая отдельного разговора. Мы не верим в одну таблетку от всех болезней и не считаем, что все приёмы, работающие при изучении, скажем, английского языка, можно в неизменном виде перенести в преподавание русского языка как иностранного. «Аграмматический» подход, по нашему мнению, в РКИ для взрослых недостаточно эффективен. Соответственно, под коммуникативностью метода мы понимаем не отказ от грамматического принципа построения курса и последовательного усвоения грамматических моделей, а в первую очередь отбор коммуникативно значимого грамматического и лексического материала, постоянные выходы в спонтанную речь в процессе его отработки, создание на уроке ситуаций, максимально близких к ситуациям реального общения. Ведь как для возникновения электрического тока необходима разница потенциалов, так для рождения настоящей живой коммуникации важна или разница в степени информированности между участниками общения, или различие взглядов, или даже конфликт интересов. Часто встречающийся на уроках пересказ выученных дома текстовых фрагментов или диалогов от этого бесконечно далёк.

Несмотря на переваливший уже за четверть века опыт преподавания, мы прекрасно помним, как трудно было начинать работать в аудитории. Мы приложили максимум усилий, чтобы наша книга помогла даже неопытному преподавателю провести хороший курс, поддержать мотивацию у студентов, избежать серьёзных ошибок и добиться высоких результатов. Мы стремились помочь и преподавателям, и студентам успешно преодолеть стартовую, самую непростую, часть пути к овладению русским языком, поэтому постарались сделать сложное простым, представить материал в лёгкой и запоминающейся форме, не жертвуя ни лингвистической добросовестностью, ни полнотой презентации системы языка. Ниже мы постараемся изложить **своё видение некоторых основных проблем**, стоящих перед преподавателем и студентами на начальном этапе обучения, и те решения, которые мы стремились воплотить в данном курсе.

■ Одна из первоочередных задач всякого курса для начинающих — **снять стресс и уменьшить страх** перед изучением русского языка, имеющего репутацию весьма сложного и экзотического. Одним из частных способов решения этой задачи является активное использование, начиная с первого урока, интернационализмов, понятных после небольшой тренировки носителям большинства европейских языков или людям, эти языки изучавшим.

■ Не менее важная и более амбициозная задача — постоянно **поддерживать высокий уровень мотивации** к обучению. Необходимыми условиями выполнения этой задачи являются отсутствие слишком сложных заданий, подрывающих веру студента в свои способности, и постоянная связь изучаемого материала с собственной жизнью и личным опытом студента. Мы постарались все, даже довольно сложные, темы изложить просто и с яркими примерами, а также постоянно «поворачивать» задания в сторону личности студента, ведь, по словам Тургенева, «человек о многом говорит с интересом, но с аппетитом — только о себе».

■ Третья из очевидных, но оттого не менее актуальных задач начального этапа — разговорить студентов, как можно раньше вывести изученный языковой материал в активное речевое употребление. Этому должны способствовать **«провокации»** в текстах и заданиях, вызывающие у студента желание высказаться и прокомментировать материал учебника, выразить личное отношение, а также специальные дискуссионные задания «Согласны ли вы, что...» и «Что делать, если...», хорошо зарекомендовавшие себя во 2-й части «Поехали!» (тт. 2.1 и 2.2).

Разговор (на русском языке, разумеется!) в этом случае никак нельзя рассматривать как нежелательное отвлечение от урока: контролируемая практика, живое общение с выражением собственного мнения представляют собой важнейшие виды работы на занятии. Так, именно с целью сделать непростую грамматическую тему более коммуникативной было решено перенести изучение аналитической превосходной степени прилагательных в начало курса. Введение слова *самый* в изучение прилагательных позволяет значительно оживить урок, повысить вовлечённость студентов и вызвать вполне спонтанную дискуссию с употреблением изучаемого лексико-грамматического материала.

Долгие годы наблюдений за процессом изучения иностранных языков привели нас к выводу о том, что в основе занятий нередко лежит структура школьного урока: после объяснения материала учитель спрашивает, а ученики отвечают. В результате они учатся давать ответы, но не умеют задавать вопросы, а в реальном общении, особенно, например, в ситуации поездки в Россию, именно умение спрашивать является жизненно важным. Более того, известно, что задающий уточняющие вопросы человек, как правило, считается хорошим собеседником, умеющим поддерживать разговор. Поэтому **умению задавать вопросы** и его формированию уделяется достаточно много внимания.

■ Четвёртой сложностью для начинающих обычно является развитие умения не только читать, писать и говорить, но также **слушать и слышать**. В новом «Поехали!» аудиокурс выгодно отличается от аудиоприложения к старому учебнику. Теперь выполнение некоторых заданий просто невозможно без прослушивания и понимания аудиозаписей, поскольку тексты звучащих материалов не включены в урок.

■ Одной из наших целей было показать студентам внутреннюю логику и закономерности этой системы, а не просто дать им формы для запоминания. В то же время мы решили с самого начала курса приучать студентов к гибкости, **вариативности форм выражения**. Именно поэтому особое внимание уделено и порядку слов в русском предложении — свободному, но далеко не вольному. Это поможет учащимся лучше ориентироваться в живой русской речи.

■ В-пятых, при подаче лексики мы стремились к **как можно более быстрому наращиванию** и пассивного, и активного **словарного запаса** студента. К сожалению, их равенство недостижимо даже в родном языке: к примеру, количество понятных авторам данного пособия русских слов очевидно превосходит количество слов, которые они активно употребляют в речи. Может показаться, что некоторые уроки содержат слишком большое количество новой лексики, но её переход в активный словарный запас отнюдь не предполагается в рамках только одного урока. Новая лексика, войдя в ткань учебника, останется в ней на протяжении всего курса и периодически будет повторяться в последующих уроках вплоть до полного усвоения. Ускорению этого процесса способствуют многочисленные условно-коммуникативные задания, в которых студенты должны применить новые слова к своей собственной жизни и выразить личное отношение к стоящим за словами явлениям. Приведённые в уроках наборы слов-подсказок в таких заданиях позволяют решить проблему недостатка фантазии, на что иногда жалуются студенты. Эти задания, по нашему опыту, намного эффективнее служат для отработки языкового материала на уроке, чем классические подстановочные упражнения. Подобный подход хорошо описан в отечественной методической литературе и, безусловно, является более продуктивным, чем простое заучивание. Мы последовательно предлагаем студентам не только запомнить слова, но и научиться их употреблять (изменять!), а также узнавать в чужой речи в изменённом виде. Студенты с самого начала готовятся порождать собственные высказывания, а не просто воспроизводить заученные. А любители заданий более традиционного вида найдут их в рабочей тетради.

Метод «опережения» используется в пособии очень **осторожно**. Случаи употребления словоформ, относящихся к ещё не пройденным грамматическим темам, единичны. В целом выдерживается принцип последовательного введения грамматических форм и конструкций. В текстах и заданиях могут появляться не введённые ранее лексические единицы, относящиеся к общей для многих европейских языков интернациональной лексике, так как учебник предназначен, в первую очередь (но не исключительно), для студентов, владеющих одним из основных европейских языков.

■ Непростым оказался вопрос о лингвистической **терминологии** в учебнике. В своей преподавательской практике мы не употребляем «школьные» названия падежей (именительный, родительный) или порядковые номера, как принято в немецкоязычной русистике. Мы предпочитаем «интернациональные» названия падежей латинского происхождения, которые используются и в русской академической русистике, поскольку им можно придать некоторый смысл, они не так пугающе звучат для студентов, не вызывают, в отличие от номеров, вопросов о том, почему «шестой» падеж изучается намного раньше «пятого». Многим студентам эти названия могут быть знакомы из опыта изучения немецкого, латинского и других языков. Однако поскольку некоторые преподаватели привыкли к нумерации падежей, эти номера приводятся рядом с соответствующими названиями.

■ Разумеется, среди грамматических тем наибольший интерес вызывают обычно две темы: глаголы движения и виды глагола. Четыре основных **глагола движения** (*идти, ходить, ехать, ездить*) вводятся сразу, но в ограниченном наборе наиболее частотных форм и функций: так, на этом этапе не отрабатывается употребление форм типа *шёл*. Логика, которой мы руководствовались, проста: добиться максимально правильной и естественной речи с наименьшими усилиями и без риска окончательно запутать студента.

■ Представление **видов глагола** подверглось значительной переработке. Во-первых, **категория вида** глагола вводится **и** сначала **отрабатывается на инфинитивах**. Это позволяет сразу отделить категорию вида от категории времени, с которой она часто смешивается, что, по результатам наших многолетних наблюдений, приводит к чрезмерному употреблению иностранцами глаголов совершенного вида в прошедшем времени и несовершенного вида — в будущем. В естественной речи носителей языка распределение форм происходит обратным образом.

Из первой особенности подачи вида в курсе вытекает вторая: **до введения** категории **вида** в учебнике **нет форм будущего времени**, вместо него используется характерное для современной живой речи употребление настоящего в значении близкого будущего. Это позволяет нам избежать формирования у студентов привычки к употреблению *буду* в роли универсального маркера будущего времени и появления «неистребимых» форм типа *буду посмотреть*.

Наконец, по нашим наблюдениям, традиционная форма грамматического упражнения, состоящего из отдельных предложений, зачастую плохо подходит для отработки употребления глагольного вида, поскольку данная категория требует более широкого контекста и более полного понимания ситуации. Именно поэтому в новой версии курса **большинство заданий на вид глагола** в книге и рабочей тетради представляют собой **микротексты или диалоги**, дающие более полное представление о ситуации и точке зрения говорящего.

■ В новом курсе мы сохранили замеченную многими преподавателями «структурную **асимметрию**» в **представлении падежей**. Если первые падежи даются постепенно: сначала существительные в единственном числе, потом множественное число, потом прилагательные и местоимения, то к концу курса темп ускоряется и все падежные формы могут быть представлены сразу. Это связано с тем, что сначала большинству студентов нужно привыкнуть к русскому словоизменению как таковому, а обилие форм может их напугать, но со временем учащиеся привыкают к изменению окончаний и способны усвоить более разнообразные варианты. Нашей методической целью было двигаться по программе как можно быстрее, но без путаницы и потерь. В этом смысле эффективность курса и скорость достижения результатов были для нас важнее единообразия структуры уроков.

■ При первой **презентации кириллического алфавита** дан наиболее распространённый вариант латинской транслитерации, что с практической точки зрения (может пригодиться студентам при заполнении документов, поиске информации в Интернете и т. п.) представляется более оправданным, чем имитация произношения с помощью латинских букв, так как правила их чтения и передаваемые ими звуки различаются в разных языках, использующих латинский алфавит. Для выработки произношения рекомендуется прибегнуть к помощи преподавателя и воспользоваться аудиоприложением.

■ В конце начального курса вашему вниманию предлагается своеобразный бонус для студентов: последний урок включает **материалы, обычно не входящие в уровни А1–А2**. В этом уроке повторяются вопросительные слова и даются важные и частотные в разговорной речи конструкции типа *смотря куда / когда / зачем..., мало кто / где..., много чего / кому...*, которые оказываются чрезвычайно полезными для ведения диалогов и позволяют студентам избежать сложных и неестественных для русского языка конструкций вроде: *Я хочу поехать во много мест.* Надеемся, ваши студенты оценят это дополнение так же высоко, как оценили наши.

■ К курсу предусмотрены полезные **приложения**. Новый «Поехали!» по многочисленным просьбам снабжён **ключами** к упражнениям, которые вы найдёте в рабочей тетради. Что касается словаря в конце учебника, то мы решили от него отказаться ввиду широкой распространённости электронных и онлайн-словарей, а также невозможности выполнения просьб читателей добавить в одну упаковку все необходимые им языковые версии. В конце обеих частей начального курса вы найдете **справочные грамматические таблицы**. Во второй части учебника (1.2) мы предлагаем вам также дополнительные **тексты для чтения**, одновременно представляющие собой упражнения на отработку различных грамматических тем (темы указаны перед текстами).

При работе над курсом мы постоянно имели в виду, что целью учебного процесса является изучение языка, а не учебника. Соответственно, при всём стремлении к внутренней логике и стройности мы постарались сделать так, чтобы «Поехали!» мог служить конструктором, позволяющим преподавателю построить свой собственный курс в условиях, скажем, дефицита времени на интенсиве или в открытых группах с меняющимся составом. Новый учебник, по нашему мнению, можно без большого ущерба сжать или растянуть под конкретные обстоятельства и требования программы, в том числе за счет **рабочей тетради**. В рабочей тетради вы найдёте **повторительные уроки** (после каждого десятого урока). **Аудиоприложение** также вынесено в рабочую тетрадь. Оно записано на диски, а также доступно для приобретения в виде самостоятельных файлов на сайте **www.litres.ru**

К нам неоднократно обращались с просьбой написать книгу для учителя. Нам кажется, мы придумали нечто лучшее: мы предлагаем **онлайн-курс для преподавателей**, основанный на методических принципах, в рамках которых написан учебник. В видеосюжетах последовательно изложены рекомендации авторов по яркому и доступному объяснению всех грамматических тем, приведены доказавшие свою эффективность запоминающиеся примеры грамматических конструкций. Это курс доступен в разных вариантах, вы можете ознакомиться с ним на сайте авторов:

www.learnrussian.ru

Наконец, мы планируем регулярно дополнять курс новыми материалами, которые будут размещаться на YouTube-канале и сайте авторов.

Ваши отзывы и предложения по улучшению курса вы можете направлять на адрес издательства «Златоуст»:

editor@zlat.spb.ru

О дальнейшем развитии курса узнавайте на сайте издательства:

www.zlat.spb.ru

Ещё раз благодарим за выбор нашей книги и желаем творческих находок, живой атмосферы на уроках, быстрого прогресса у студентов и удовольствия от работы.

Авторы

На старт... Внимание...

Поехали!

Русская клавиатура

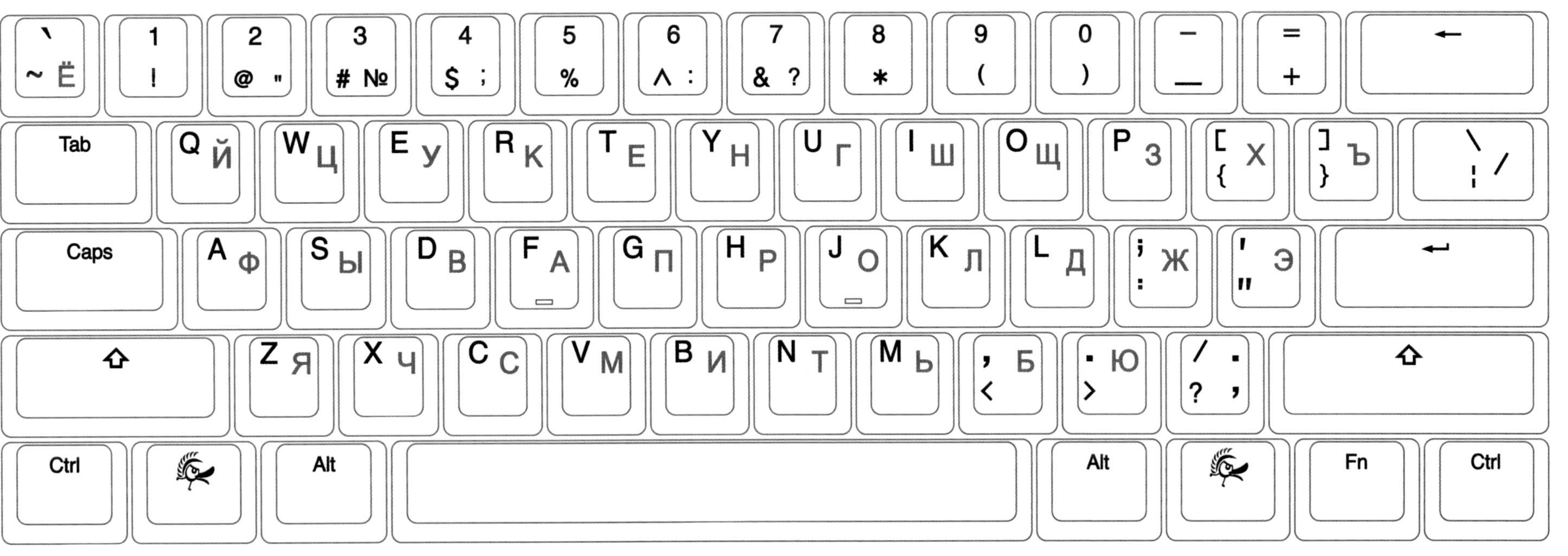

Источники иллюстраций

https://kulturologia.ru/files/u18046/cinderella-01.jpg
https://i.pinimg.com/originals/9f/22/c2/9f22c2f3f3feecba311f03a335c1f25c.png
https://wallpapers.wallhaven.cc/wallpapers/full/wallhaven-478219.jpg
https://www.motto.net.ua/pic/201601/1920x1200/motto.net.ua-100650.jpg
https://aftershock.news/sites/default/files/u28942/книги.jpg
http://www.kazakh-zerno.kz/images/novii_sait/dokymenti_01.jpg
https://www.brainwavehub.com/wp-content/uploads/2017/01/After-Hours.jpg
http://i.ytimg.com/vi/lOhpAT9HXl0/maxresdefault.jpg
http://www.sportshdwallpapers.com/download/tennis-balls-on-the-grass-at_1920x1200_610-wide.jpg
http://www.wallpaperbetter.com/wallpaper/581/457/257/chess-board-2K-wallpaper.jpg
http://cms.indiaeve.com/images/events/Event635475017Img.jpg
https://us.toluna.com/dpolls_images/2017/07/21/3d58ceb2-3c18-417a-b36c-13e2938d2bb7.jpg
https://man-hair-clinic.co.uk/img/treatment-and-prices/hair-man.jpg
https://d1o50x50snmhul.cloudfront.net/wp-content/uploads/2016/11/09180000/001_loe0482752.jpg
http://www.turkrus.com/Source/resim/Haberresim/3388940693.jpg
http://www.v3toys.ru/kiwi-public-data/Kiwi_Img/17823.jpg
https://wallpaper.wiki/wp-content/uploads/2017/05/Free-Best-Book-Backgrounds-1024x640.jpg
http://images.icecat.biz/img/gallery_raw/30985759_8902.jpeg
https://s1.1zoom.ru/b5050/107/Camels_483814_1280x1024.jpg
https://besmart.kz/media/events/images/2017/02/20/4e63d049e8b44f2eafc05ac6e26ccd82.jpg
https://www.1obl.ru/upload/resize_cache/iblock/9f5/1024_768_2/9f5ea7f259a2739c4530cc4df0c4d39a.jpg
https://aws-dist.brta.in/2018-03/b24d37ce918990bde77f0bf8c4f3bfb447b81353.jpg
https://hdwallsbox.com/wallpapers/l/1920x1080/34/beach-waves-rocks-sea-1920x1080-33277.jpg
http://www.megaplast.com.ua/wp-content/uploads/2016/01/42ZbYRYQeRQ.jpg
http://www.disfo.ru/uploadc/portfolio/zl/5FaeAucy_800x800.jpg
https://www.kharkov-posutochno.com/aps/5/2.jpg
https://boxtoner.ru/public/53085972956ee28ba9ca5b02a813.jpg
https://i.ytimg.com/vi/V-oJl0j2ylw/maxresdefault.jpg
http://iskatelivkusa.ru/uploads/posts/2016-01/1453028224_b7rz0zvx79a.jpg
https://price-altai.ru/uploads/2014/05/201803120c09ff.jpg
http://cdn.photocentra.ru/images/main10/104997_main.jpg
https://weddywood.ru/wp-content/uploads/2017/05/p5020075.jpg
https://crystaldesigncouture.com/upload/catalog/200/161/lara_3.jpg
https://avatars.mds.yandex.net/get-pdb/245485/b30b8863-7538-4b3e-98e8-ab51a0b5e585/s1200?webp=false
https://ae01.alicdn.com/kf/HTB1QwzNnJqUQKJjSZFIq6AOkFXaj/2017-Brand-New-Men-Three-Dimensional-Shirts-Married-Groom-Shirt-Slim-Fit-Groomsman-Long-Sleeve-Man.jpg
https://i.ytimg.com/vi/3ZcMiGVatcc/maxresdefault.jpg
https://avatars.mds.yandex.net/get-pdb/38069/8e5eebd5-3253-49fc-b640-1224396f0090/s1200?webp=false
http://img1.mp.oeeee.com/201803/31/a731ee1ec95b4fdd.jpg
https://i6.photo.2gis.com/images/branch/38/5348024570729326_acc0.jpg
https://img1.nevesta.info/orig/content/photo/272300/272213/201408/2746339/2746339_gy5gdl4woa0okcssk8oc.jpg
https://cs5.livemaster.ru/storage/ac/ae/7423ccfae4f23cf7bdb83637b086--svadebnyj-salon-svadebnyj-buket-granatovyj.jpg
https://www.bridalshowerinvitations911.com/fatboy/bridalshowerinvitations911/wedding-car-decorations-unique-jaguar-xf-flower-decorations-bridal-car-car-where-to-buy-wedding-car-decorations-1-1312-x-984.jpg
http://desna32.ru/_ph/7/294693324.jpg
http://poradum.com.ua/wp-content/uploads/2018/05/c89e4d5318dedb4b68062d783f7f6ab2.jpg
https://orangebquartet.files.wordpress.com/2013/08/ko5a3369.jpg
http://nb159.ru/wp-content/uploads/2017/03/credit.jpg
http://shipachev.com/wp-content/uploads/2015/10/2015-09-28-11.51.231-1800x1125.jpg
https://i01.fotocdn.net/s25/138/public_pin_l/30/2621709705.jpg
http://1.bp.blogspot.com/-_uCtTJ3d7M8/Vl7SsJrRE4I/AAAAAAAAesM/X9Yc40uN-zQ/s1600/Astoria_Hotel_SPB.jpg
http://www.spb-guide.ru/img/484/86910big.jpg
http://images.chistoprudov.ru/lj/roofs/ritz_carlton/09_1280x1024.jpg
https://rb.ru/media/rb_old_test/sankt-peterburg-2015.jpg
http://i.pipec.info/20120715/42358046298095_a25.jpg
http://www.newsandpromotions.com/wp-content/uploads/2015/07/AP_97093001669.jpg
https://st03.kakprosto.ru/images/article/2011/8/2/1_52550d296b58452550d296b5bd.jpg
http://kvestbook.ru/media/photos/ograblenie-banka-59398-2.jpg
https://i08.fotocdn.net/s12/7/public_pin_l/500/2325607174.jpg
https://media.grodno.in/source/photos/2017/12/20/img-1289.jpg
https://i9.photo.2gis.com/images/branch/32/4503599642876259_ae85.jpg
http://idsgroup.ru/upload/iblock/news/mama%20campo/05%20Оформление%20фермерско-го%20магазина%20Mama%20campo.jpg
https://elle.ua/upload/image/gettyimages-530633197.jpg
http://luna-info.ru/wp-content/uploads/2016/10/original23096612.jpg
https://s0.rbk.ru/v6_top_pics/media/img/5/90/754598883526905.jpeg
https://blog.jumpinforhealthykids.org/hubfs/blog/FamilyWalkingDogWinter-ThinkstockPhotos-506602689.jpg?t=1530284547469
https://cdn1.img.ukraina.ru/images/101943/78/1019437870.jpg
https://vizaimm.com/wp-content/uploads/2018/01/mushchina-v-aeroporty.jpg
https://banner2.kisspng.com/20180616/fvw/kisspng-home-house-plan-apartment-clip-art-5b24e8a6a04d77.3129003315291455106566.jpg
https://www.dsklad.ru/upload/resize_cache/uf/6c9/1242_1242_175511db9cefbc414a902a46f1b8fae16/4c3a3c92_d98a_11e7_a642_005056012ed7.jpg
https://oboi.ws/wallpapers/18_2256_oboi_gorod_mirrors_edge_1152x864.jpg
http://www.globalmapper.com.pl/images/3d-city-model-1280x1024.png
http://inforadio.spb.ru/img/395376.jpg
http://sowoman.ru/wp-content/uploads/2011/05/0010057431Q-1920x1440.jpg
https://thumbs.dreamstime.com/b/smart-teacher-portrait-young-beautiful-standing-near-chalkboard-writing-numbers-white-background-education-elementary-57335459.jpg
https://thumbs.dreamstime.com/z/male-teacher-holding-wand-book-25886839.jpg
http://clipart-library.com/image_gallery2/Island-PNG-Clipart.png
http://www.playcast.ru/uploads/2018/06/26/25460005.png
https://get.pxhere.com/photo/watch-white-clock-time-orange-line-red-blue-gauge-decor-product-picture-shape-white-background-free-image-home-accessories-1265936.jpg
http://tumen-info.ru/s_images/14690047604653.jpg
http://hellbro.ru/uploads/posts/2014-08/14089693434242.jpeg
http://shinsaat.com/wp-content/uploads/2017/07/smodel3.jpg
https://st3.depositphotos.com/1177973/15965/i/1600/depositphotos_159650406-stock-photo-collage-of-teachers-on-white.jpg
http://www.doginfo.info/pics/48576.jpg
http://my.datasphere.com/files/mydatasphere/styles/ls1650/public/1430173647_ThinkstockPhotos-465643235.jpg
http://www.thefaultreport.com.au/wordpress/wp-content/uploads/2015/11/rich-ppl.jpg
https://vm.ru/photo/vecherka/2014/04/doc6euyn8tovaf191xn94hh_800_480.jpg
https://static.tildacdn.com/tild6636-3331-4435-b765-373439383061/09.JPG
https://images.seekbusiness.com.au/advertiser/original/12754/75fe51bc-a0f1-440a-9ffc-1904db8d85e9.jpg
https://www.businessinsider.in/photo/46036628/check-out-apples-gorgeous-new-store-in-china/Inside-youll-find-the-long-tables-and-minimalist-design-weve-come-to-expect-in-an-Apple-store-.jpg
http://z3.d.sdska.ru/2-z3-7ae40b68-8bcb-4978-bdc6-918ca30376b8.jpg
http://yourdemoplace.com/wp-content/uploads/2015/11/Menu.jpg
https://s0.rbk.ru/v6_top_pics/media/img/9/38/755154818434389.jpg
http://www.redwhite.ru/upload/iblock/b8c/Spartak_Stadion%20(16).jpg
https://img.7ya.ru/pub/img/22347/thinkstockphotos-529054092.jpg
flytravel.online/wp-content/uploads/2017/01/Aeroflot-A330-200C.jpg
https://www.tvoybro.com/uploads/article/block/image/593bd2f3ebf5c9760d000009/ea3cb945-3a70-462a-8208-e95d367350a5.jpg
http://siteonica.ru/uploads/images/razvod-devchonok-na-ulitse-3.jpg
https://img07.rl0.ru/5aac53d84c7ba43f4d42c62bce1de3ed/c1003x768/podrastem.com/_pu/4/53286635.jpg
https://mtdata.ru/u25/photoA029/20262194208-0/original.jpg
https://i3.photo.2gis.com/images/branch/1/140737508672733_d874.jpg
http://www.astoperahouse.ru/uploads/images/911377c0c468ba1f4dd6d11574f17b23.jpg
https://arhivurokov.ru/videouroki/html/2014/11/12/98692306/98692306_1.png
http://farmfresh.themeplayers.net/onepager/wp-content/uploads/sites/2/2015/10/Chanterelle3.jpg
https://www.ozon.ru/context/detail/id/137814777/?item=147120222
http://www.magazindex.org/uploads/kv/static2.kupivip.ru/V0/03/12/17/37/1x.jpg
http://s3d4.turboimg.net/sp/f526b56ac4be4ff8a47d0df445ecac17/natalia-vodianova-attends-113.jpg
https://avatars.mds.yandex.net/get-pdb/38069/880bb7b5-6cfa-4888-9d15-12f7ba526496/s1200
http://apn-nn.com/wp-content/uploads/2018/03/2018-3-12-Taksi-1200x800.jpg
https://bilder.t-online.de/b/79/74/77/90/id_79747790/tid_da/angela-merkel-nennt-die-fluechlingswelle-2015-eine-humanitaere-notlage-.jpg
https://s.yimg.com/uu/api/res/1.2/gp.9oGSrsj12_BBjF7Wrbg---B/aD0xOTIwO3c9MTI4MDtzbT0xO2FwcGlkPXl0YWNoeW9u/http://36.media.tumblr.com/5366bd7f6df062ca8975687a9a321511/tumblr_inline_o59uwcKDPJ1tanxds_1280.jpg
http://monateka.com/images/2581366.jpg
http://kaktutest.by/wp-content/uploads/2017/08/kinza-17.jpg
https://zdorovonline.com/upload/medialibrary/6d7/6d778ac006c949636850d492dd611efd.JPG
https://www.kaa-yaa.com/wp-content/uploads/2018/05/20160608-loi-khuyen-lua-chon-phong-tap-phu-hop-1.jpg
https://gfx.nrk.no/QUeAC0svnK4-Kor5fEv1oAIWRrFDW7_SDL_1MMI3Jtuw
http://it-osnova.ru/images/d913f2ef2cef_FF1D/Iphone-4S.jpg
https://www.motto.net.ua/download.php?file=201504/1600x1200/motto.net.ua-95354.jpg
https://everipedia-storage.s3.amazonaws.com/NewlinkFiles/11926770/30928211.jpg
https://www.pknhilversum.nl/sites/default/files/maartenluther.jpg
https://www.cum-se-face.dp-net.eu/wp-content/uploads/2018/05/how-to-draw-save-trees-and-save-nature-drawing-for-kids-coloring-page-for-kids.jpg
https://jwomans.com/wp-content/uploads/2018/02/Paren-i-devushka-obnimayutsya.-Otnosheniya-768x512.jpg
https://farm1.staticflickr.com/153/374541232_727e4eab4d_b.jpg
https://avatars.mds.yandex.net/get-pdb/1369813/153b2ff2-154c-4d28-9a1c-80bbbfca6eda/s1200
https://i12.fotocdn.net/s14/244/user_l/154/2482412019.jpg
https://i03.fotocdn.net/s23/213/gallery_m/153/2585434324.jpg
https://i10.fotocdn.net/s30/233/user_l/75/2723433192.jpg
https://pg13.ru/userfiles/images/image-07-2016/4.jpg

https://i01.fotocdn.net/s4/237/user_xl/300/2410753004.jpg
https://images.tsh.ru/pokupki/images/2017-03-05/e92/e92e230b2907fef7080371f3a569d1ff/6bddda12d727d138edc0d899b78860cf.jpg
https://jetparket.ru/upload/iblock/658/6583b84dd43e405bdfdf94edce40a35d.jpg
https://www.desktopbackground.org/download/2560x1440/2013/06/28/598888_tropical-beach-wallpapers-1920x1200px_5000x3456_h.jpg
http://pauledmundson.com/wp-content/uploads/2016/06/Naeroyfjord_From_Rimstigen_By_Paul_Edmundson.jpg
https://kr.best-wallpaper.net/wallpaper/1600x1200/1609/Kenya-safari-zebras-water-blue-sky_1600x1200.jpg
http://kolafishing.ru/new_photo/rybalka-leto/pre.JPG
https://otvet.imgsmail.ru/download/211518846_b8031b1e662073c9d8bee0b9f3f34d6f_800.jpg
http://namonitore.ru/uploads/catalog/animals/budem_pit_1280.jpg
https://tomatotimer.ru/wp-content/uploads/2017/07/weekly_plan-001.jpg
https://steemitimages.com/DQmZntoS6rQEvHio5Qg4T6K6r9WnfSYnrBYDqufjAkW7xrs/wakeup.jpg
https://static.lantoa.net/wp-content/uploads/2018/06/20154827/1200x630.jpg
http://www.playcast.ru/uploads/2016/01/27/17021098.png
http://forum.kaluga.ru/uploads/monthly_06_2014/post-30057-0-36603200-1403117262.jpg
https://ozon-st.cdn.ngenix.net/multimedia/1022095704.jpg
https://autowall.ru/download_img.php?dimg=11068&raz=1152x864
https://jooinn.com/images/old-auto.jpg
http://wallpaperstrend.com/wp-content/uploads/Cartoon/Cartoon01/Leonardo-Ninja-Turtles-1440x900.jpg
https://i9.photo.2gis.com/images/branch/69/9710886710915199_af72.jpg
http://www.home-img.com/uploads/data/38142/844a3c36d4eec8829cda41f791d68e61.jpg
http://gagarin.tm/statics/images/post/fish2422186.jpg
https://chepetsk.instashop.ru/upload/resize_cache/iblock/fc3/600_600_1/fc3b22f3d020b1d2bb2e04c9434860eb.jpg
https://vipechkaopt.ru/upload/shop_3/3/3/1/item_331/shop_items_catalog_image331.jpg
https://i.ytimg.com/vi/Ly1eb4u5RZo/maxresdefault.jpg
https://www.ubu.ru/sanktpeterburg/rasteniya/sinie_rozy_ot_200_rubsht_9300947
http://images.panda.org/assets/images/downloads/may2017/WWF_wallpaper_may2017_1440x900.jpg
https://irecommend.ru/sites/default/files/imagecache/copyright1/user-images/210410/15E73jygfRiSXTqF8gmg.JPG
http://simplywallpapers.com/walls/nature/clouds-landscapes-mountains-nature-skyscapes-1750606-1920x1080.jpg
http://image.otto.ru/asset/mmo/formatz/7344691.jpg
http://kak7.ru/wp-content/uploads/2017/05/ab4d02beb67740977b0a-768x884.jpg
http://avtoblogru.ru/niwacuyic/20500-sportivnyy-kostyum-adidas-russia-team.jpg
https://avatars.mds.yandex.net/get-pdb/245485/81855f50-c030-4a8b-bf6a-3b1bd6cd2037/s1200
http://womanadvice.ru/sites/default/files/dalia/krasnye_sapogi_0.jpg
https://www.realbrest.by/upload/blogs/dab76e6778eae55bb3950836831d22e0.jpg
http://www.pitsco-pathways.com/wp-content/uploads/2018/07/shirts-159567_960_720.png
https://q8yusa.com/wp-content/uploads/2015/08/Stack-Books-1024x747.jpg
https://doc4web.ru/uploads/files/41/40521/hello_html_13744210.jpg
http://fruitfultoo.com/wp/wp-content/uploads/icon_14889-By-Juan-Pablo-Bravo-for-The-Noun-Project-1024x1024.png
https://www.ihaleden.com/static/assets/img/no_image.png
https://besplatka.ua/aws/27/94/67/47/rozovye-dzhinsy-turciya-photo-d9ab.jpg
http://www.turkrus.com/Source/resim/Haberresim/43519228713191.jpg
https://son-tolkovanie.ru/uploads/6633533cab/c79e3036ad.jpg
https://storage.vsemayki.ru/images/0/0/320/320984/previews/people_110_manshort_front_red_500.jpg
https://content.foto.my.mail.ru/mail/workmail2001/10719/h-12462.jpg
https://www.huntingmycloset.com/wp-content/uploads/2017/10/13055016_12_B-732x1024.jpg
http://lares.ru/upload/iblock/3b5/3b51a9db2622d32498bbd72ed7e0f2d1.jpg
http://www.printawallpaper.com/upload/designs/travel_life_detail.jpg
https://avatars.mds.yandex.net/get-pdb/963318/90a75ba3-76ec-41b8-a464-8f1a1a78058f/s1200
дома/домой -жена говорит в машине по телефону
http://bess-school-41.ucoz.ru/_ph/7/425030434.jpg

https://files.differsheet.com/images/user/user734/diary/2c308ac3273c6d569af266d2edf955bc.jpg
https://img.gazeta.ru/files3/593/10470593/upload-RIAN_00400253.HR.ru-pic905-895x505-49955.jpg
http://mkala.org/assets/images_cache/b088015030e5e8cfc82bb3fdf24c39b7.jpg
http://i.huffpost.com/gen/3557798/images/o-COUPLE-FIGHTING-facebook.jpg
https://pp.userapi.com/c841533/v841533995/30e78/gZOTpWObzoU.jpg
https://s-ec.bstatic.com/images/hotel/max1024x768/133/13354532.jpg
https://melbournechapter.net/images/old-car-clipart-black-and-white-5.png
https://ancud.ru/images/education/mgu.png
https://www.iconspng.com/images/taxi-driver/taxi-driver.jpg
http://actors9.com/wp-content/uploads/2018/04/enjoyable-teaching-clipart-symbol-for-teacher-passionative-co.png
https://www.houstonisa.org/wp-content/uploads/2016/10/noun_106407.png
https://image.freepik.com/free-icon/no-translate-detected_318-59170.jpg
https://static.brusheezy.com/system/resources/previews/000/050/006/original/makeup-and-cosmetic-brushes-pack.jpg
https://dumielauxepices.net/sites/default/files/sunglasses-emoji-clipart-black-and-white-784749-407673.png
http://beta_www.flaticon.com/static/icons/png/512/85/85051.png
https://banner2.kisspng.com/20180226/ulw/kisspng-house-key-logo-real-estate-vector-keys-5a94993e502f06.7647097415196879983284.jpg
https://cdn.onlinewebfonts.com/svg/img_27801.png
https://www.picpng.com/images/large/pencil-crayon-writing-to-color-photos-47824
https://yoyoimage.com/wp-content/uploads/2017/08/1-5-10-815x1024.png
http://mariafresa.net/data_gallery/dictionary-clip-art-clipart-dictionary-pictogram-lnsOad-clipart.png
https://www.maxbhi.com/images/thumbnails/900/900/detailed/969/touch_screen_digitizer_for_google_nexus_6_64gb_white_by_maxbhi.com_39436.jpg
http://img02.taobaocdn.com/bao/uploaded/i2/17705018718920613/T1L7kpXbBeXXXXXXXX_!!0-item_pic.jpg
https://cdn.onlinewebfonts.com/svg/img_475143.png
https://hdwallsbox.com/wallpapers/l/1920x1080/43/metallica-lars-ulrich-1920x1080-42471.jpg
http://1.bp.blogspot.com/-Jb_EQ-zx_qA/VJPsswE4AcI/AAAAAAAAEbg/XpV8byDUvfw/s1600/office1.png
http://smolnarod.ru/wp-content/uploads/2018/07/656_img_1974.jpg
http://primgazeta.ru/upload/img/archive/kult/teatr_jizel.jpg
http://winallos.com/uploads/posts/2014-09/1410243871_328244-1920x1200.jpg
https://avatars.mds.yandex.net/get-pdb/231404/f8bd7de2-f929-4d75-82d4-2b7a4f1866ec/s1200
https://worldpics.pro/wp-content/gallery/bi-2-s-simfonicheskim-orkestrom/1B1A6725.jpg
https://ivbg.ru/wp-content/uploads/2015/01/LEO2307.jpg
http://school-154.ucoz.ru/_ph/1/344733937.jpg
https://fishqua.com/wp-content/uploads/2018/06/a-solar-powered-reef-reefs-the-modern-reef-aquarium-book.jpg
http://cdn.woodynody.com/2017/02/20/description-wmuk-office-march-2012-jpg.jpg
https://media.wired.com/photos/59549ef5267cf6013d251f05/master/pass/GettyImages-480167620.jpg
http://novoye-vremya.ru/wp-content/uploads/2017/07/5c1e02a7156670869ad22258ac267c16.jpg
https://bristol.ru/upload/iblock/a34/c9d8e19d_740b_11e6_ae24_60a44c3cd7b8_febdfd55_911c_11e6_b666_60a44c3cd7b8.resize1.jpg
http://www.playcast.ru/uploads/2015/10/02/15286990.png
http://wallpaperswebs.com/wp-content/uploads/Tropical-Island-Beach-with-Green-Palm-Trees-1920x1080.jpg
https://ae01.alicdn.com/kf/HTB1tEqWkILJ8KJjy0Fnq6AFDpXag/Fashion-Woman-With-A-Dog-Wall-Stickers-Home-Decor-Living-Room-Removable-Vinyl-Wall-Decals.jpg
http://www.koserjewelers.com/images/store-pics/2018-02-09-10-46-35_kneeling-couple-1.png
https://cache.marriott.com/marriottassets/marriott/MOWDT/mowdt-entrance-0160-hor-feat.jpg
https://www.lifewithheidi.com/wp-content/uploads/2018/02/Great-Ways-to-Show-Your-Partner-You-Love-Them.jpg
http://shmector.com/_ph/2/661678598.png
https://static.ngs.ru/news/66/preview/b8b207949eb00db7bd9481141dcf293f0e1d9544_956.jpg
http://flashnord.com/sites/default/files/uploads/main/4678163_large.jpg
https://mmedia.ozone.ru/multimedia/1023183074.jpg
https://fucken.pro/img/ducky/Ducky-Shine-RU-layout.png
https://cdn4.iconfinder.com/data/icons/cleaning-glyph-4/100/40-512.png
https://cdn4.iconfinder.com/data/icons/summer-and-travel-5/48/203-512.png
https://cdn4.iconfinder.com/data/icons/elasto-furniture/26/07-FURNITURE-READY_desk-512.png
https://cdn1.iconfinder.com/data/icons/furniture-6/154/chair-furniture-kitchen-stool-512.png
https://cdn2.iconfinder.com/data/icons/furniture-32/24/Bed-2-512.png
https://cdn2.iconfinder.com/data/icons/cosmo-furniture/40/sofa_1-512.png
http://prestigefurniture.ru/wp-content/uploads/2018/05/no-translate-detected_318-63181.png
https://png.icons8.com/ios/540/book-shelf.png
http://cdn.onlinewebfonts.com/svg/img_486012.png
https://cdn0.iconfinder.com/data/icons/interior-and-decoration-3/64/144-512.png
https://d2gg9evh47fn9z.cloudfront.net/800px_COLOURBOX5578368.jpg
http://chittagongit.com/images/water-glass-icon-png/water-glass-icon-png-20.jpg
http://chittagongit.com/images/dinner-plate-icon-png/dinner-plate-icon-png-17.jpg
http://cdn.onlinewebfonts.com/svg/img_57925.png
https://image.freepik.com/free-icon/no-translate-detected_318-61503.jpg
https://banner2.kisspng.com/20180604/kpu/kisspng-knife-kitchen-utensil-computer-icons-clip-art-kitchen-tools-5b155bd8a0de33.7221647715281264246589.jpg
http://messpb.ru/images/photos/small/shop_category49.png
http://studiolabel.ru/image/catalog/LABEL_INFO/LABEL_termo.png
https://cdn3.iconfinder.com/data/icons/kitchen-tools-7/44/kitchen-03-512.png
http://cdn.onlinewebfonts.com/svg/img_486028.png
https://openclipart.org/image/800px/svg_to_png/218905/1431878825.png
https://cdn3.iconfinder.com/data/icons/electronics-technology-2/33/vacuum_cleaner-512.png
http://brwin.square7.ch/haustechnik/media/img_haustechnik/Badewanne.png
http://setkaweb.ru/uploads/images/app2.png
http://dogatesisat.net/application/files/7814/8960/8599/Batarya_vektorel.png
https://cdn.onlinewebfonts.com/svg/img_18738.png
http://www.myiconfinder.com/uploads/iconsets/06d70b0f40755adc0918066a3bc87246.png
https://cdn3.iconfinder.com/data/icons/kitchen-tools-7/44/kitchen-03-512.png
http://traum-deutung.de/wp-content/uploads/2014/12/traum-fenster-deutung-symbol.png
https://cdn5.vectorstock.com/i/1000x1000/38/29/door-with-glass-icon-simple-style-vector-9043829.jpg
https://cdn0.iconfinder.com/data/icons/construction-45/512/21-512.png
https://www.pfokus.com/wp-content/uploads/2016/11/51470-200.png
https://www.roomescape.com/uploads/default/images/location_images/main/Escape_Room_Israel_Room_Escape_Game_TelAviv_20501.png
https://cdn.vectorstock.com/i/1000x1000/25/55/compass-rose-graphic-vector-3602555.jpg
https://game-icons.net/icons/delapouite/originals/png/000000/ffffff/island.png
https://image.flaticon.com/icons/png/512/91/91074.png
https://storage.needpix.com/thumbs/beach-2830266_1280.png
https://cdn3.iconfinder.com/data/icons/nature-animals/512/Trees-re3-512.png
https://bulgarian.properties/images/osproperty/category/1449867073_Urban.png
https://upload.wikimedia.org/wikipedia/commons/thumb/e/ee/Museum_black_icon.svg/1280px-Museum_black_icon.svg.png
http://perego-shop.ru/gallery/images/172233_siluet-skripacha.jpg
https://image.isu.pub/150131133413-118254bfebc7c11fb70a344fef6c257a/jpg/page_1.jpg
http://pluspng.com/img-png/red-porsche-911-gt3-rs-4-car-png-image-1842.png
https://1wallz.ru/download_img.php?dimg=4707&raz=2560x1600
https://luxwatch.r.worldssl.net/images/gallery/57247/126233-0023-1.jpg
https://media.motorbox.com/image/tata-nano-2014/4/1/9/419352/419352-16x9-lg.jpg
https://crivellishopping.pl/image/cache/data/Prodotti/swatch/suow127-swatch-800x800.jpg
http://12chasov.kz/image/cache/data/products/swatch_drugie_chasi_23/p11352_414038_swatch_ygs467-800x600.jpg
https://zelenyjmir.ru/wp-content/uploads/2017/06/CHihuahua-88.jpg
https://hatifood.ru/wp-content/uploads/2018/01/dog.jpg
http://s3.eshoper.ru/0o/63f4705f3517a6ba523f706161a30822.jpg
https://gloimg.rglcdn.com/rosegal/pdm-product-pic/Clothing/2018/06/09/source-img/20180609190933_91688.jpg
http://southeasternyal.org/wp-content/uploads/2018/05/john-lennon-sunglasses-round-shades-gold-frame-black-lenses-retro-ebay-with-regard-to-brilliant-house-round-sun-glasses-designs.jpg
https://gerila.rs/wp-content/uploads/2017/11/galaxys6-vs-iphone6-lead.png
http://top.supernedorogo.ru/46142-1-large_default/6947-матрешка-веснянка-коллекционно-е-изделие.jpg
https://avatars.mds.yandex.net/get-marketpic/250421/market_d3Yki2HnfUZUenBNW9ugng/orig
https://jazzbo.ru/upload/iblock/5c5/5c5450043347611860d1ace730ec8cfd.jpg
https://sc02.alicdn.com/kf/HTB1jZlVPFXXXXXbXFXXq6xXFXXXw.jpg
https://writercenter.ru/uploads/images/00/86/89/2016/09/26/f4e4b2.jpg
https://i.ytimg.com/vi/dmIlgvFqSBk/maxresdefault.jpg
https://pikabu.ru/story/top_5_luchshikh_mest_na_altae_kotoryie_mozhno_posetit_s_detmi_5047055
https://f.vividscreen.info/soft/f4f4c5fc7cce38d19918a74529efa9e0/Seafood-2880x1920.jpg
https://i.ytimg.com/vi/deDuPHQ6zBs/maxresdefault.jpg
http://dengi.bm.img.com.ua/dengi/orig/4/11/ce4765770dfb04f5d8b98e4825c16114.jpg
https://www.stepclub.ru/upload/medialibrary/b48/b48a1e1b9a7579b9b8fdb8b0b6d13f8a.jpg
https://cdn2.hercampus.com/socks.png
https://cdn.fishki.net/upload/post/201509/23/1672991/04931f510ca4fd8b61a8f756d16e2dfc.jpg
http://yekids.ru/wp-content/uploads/animator-cloun-moskva-max1.jpg
https://i.ytimg.com/vi/H8HWrCjM5Ug/maxresdefault.jpg
http://cdn.mamaplus.md/15091/551d0b2369dc6_551d0b2369e31.jpg
https://www.brauberg-rus.ru/image/catalog/iconki/71b0dde92993093b8e12dc52b1e4871e.png
https://image.flaticon.com/icons/png/512/177/177902.png
https://yandex.ru/images/search?pos=119&p=2&img_url=https%3A%2F%2Fwww.shareicon.net%2Fdownload%2F2016%2F08%2F03%2F805996_water_512x512.png&text=%D0%BF%D0%B8%D0%BA%D1%82%D0%BE%D0%B3%D1%80%D0%B0%D0%BC%D0%BC%D0%B0%20%D0%BF%D0%B0%D1%80%D0%BA&rpt=simage
http://samodosug.ru/wp-content/uploads/2018/02/preview-668.jpg
https://cdn1.vectorstock.com/i/1000x1000/00/30/earth-globe-icon-vector-19690030.jpg
http://cdns2.freepik.com/free-photo/man-with-a-suitcase_318-59012.jpg
https://image.freepik.com/free-icon/no-translate-detected_318-63684.jpg
https://www.wavechinese.com/media/wave_pc/201603/1459211536569415345.jpg
https://yumiid.com/wp-content/uploads/2014/10/man_walking_with_smartphone_smartwatch.jpg
https://www.kamzakrasou.sk/_image_crop.php?filename=userfiles/articles/07-01/8238/1452252674-164311798.jpg&bcg=ffffff&width=1200&height=895&zoom=1&watermark=images/watermark.png&cache=userfiles/articles/07-01/8238/normal_100_475_1452252674-164311798.jpg
https://img-fotki.yandex.ru/get/4607/svetlera.41/0_507b9_5c2029db_XXXL.jpg
http://www.optomtovar.ru/u/7355/goods/12519/big.jpg
http://gym1569u.mskobr.ru/images/1%281%29.png
http://necesitodetodos.org/wp-content/uploads/2013/11/PopiElAlpinista.jpg
https://carwad.net/sites/default/files/father-walking-cliparts-127076-5423937.jpg
https://ru.depositphotos.com/54001399/stock-illustration-captain-of-the-ship.html
http://www.kkkm.ru/application/files/3214/9500/1186/Kollazh1.jpg
https://png.pngtree.com/element_origin_min_pic/17/09/08/05722ff47c075744222540cd88bd1b0e.jpg
http://i.photoblogs.ru/20062008/1152868227_coll6.jpg
http://cdn.onlinewebfonts.com/svg/img_23148.png
http://bumper-stickers.ru/25717-thickbox_default/siluet-plavca.jpg
https://webiconspng.com/wp-content/uploads/2017/09/Student-PNG-Image-68827.png
http://cliparts.co/cliparts/riL/gRM/riLgRM8eT.gif
https://e-bon.ir/wp-content/uploads/2018/01/v5.jpg
https://hanslodge.com/images/Bcard4Gzi.jpg
https://i.etsystatic.com/15439563/c/1929/1532/283/202/il/a2cc5f/1281836078/il_680x540.1281836078_kj3u.jpg
https://static.vecteezy.com/system/resources/previews/000/135/063/large_2x/free-dumbell-vector.jpg
https://carwad.net/sites/default/files/karate-silhouette-cliparts-132217-7680927.jpg
http://75shg-bilim.kz/images/articles/2018/05/05/cheess1.jpg
https://static.vecteezy.com/system/resources/previews/000/079/366/large_2x/vector-dancing-couples-silhouettes.jpg
http://sportbuilderpros.com/photo/volleyball-court-installation.jpg
https://yandex.ru/images/search?pos=78&p=1&img_url=https%3A%2F%2Fimg.etsystatic.com%2Fil%2F373103%2F1260630949%2Fil_340x270.1260630949_c17y.jpg%3Fversion%3D0&text=%D0%B9%D0%BE%D0%B3%D0%B0%20%D0%BA%D0%BB%D0%B8%D0%BF%D0%B0%D1%80%D1%82&rpt=simage
https://chinauniversities.org/uploads/blog/thumbBig_42.jpg
http://bpic.588ku.com/element_origin_min_pic/00/00/12/1958576661e1e62.jpg
http://media.220-volt.ru/f/a0/ru/images/catalogue/219/219541.jpg
https://www.nist.gov/sites/default/files/images/2017/11/01/taxi.gif
http://sc02.alicdn.com/kf/HTB16Q1dKf5TBuNjSspmq6yDRVXaT/Dutch-Transport-Classic-Bike-Cargo-Bike.jpg_640x640xz.jpg
http://www.sehgaltravel.com/images/luxury-coaches.jpg
https://ru0.anyfad.com/items/t1@198806c5-9820-40f1-b0e3-aa3221b8b256/London-busdvuhetazhnyy-avtobus.jpg
http://2.bp.blogspot.com/_yKbH86T_pbk/TN_OXyhU1oI/AAAAAAAAABg/qQt5C-6mY5Q/s1600/underground.jpg
https://relrus.ru/uploads/posts/2018-01/v-moskve-v-2018-godu-mogut-otkryt-bolee-20-stanciy-metro_1.png
http://wp2.carwallpapers.ru/lada/vesta/2018-cross-sedan/Lada-Vesta-Cross-Sedan-2018-2560x1600-009.jpg
http://www.mansory.com/files/media/mansory/sliders/lamborghini-carbonado-roadster.png
http://4.bp.blogspot.com/-yyCXHXZCxe8/VgrPUh5g2PI/AAAAAAAAAWM/Zw55tt3fXxM/s1600/Bactrian%2Bcamel.jpg
https://nnimgt-a.akamaihd.net/transform/v1/crop/frm/silverstone-feed-data/39ca4493-9951-4d69-8102-9d945c652d9c.jpg/r0_0_3000_2002_w1200_h678_fmax.jpg
http://www.pngpix.com/wp-content/uploads/2016/03/Motorcycle-PNG-Image.png
https://img1.goodfon.ru/original/1025x576/8/e8/jeep-wrangler-concept-dzhip.jpg
https://tshop.r10s.com/f88/1ce/c951/d35c/d0f9/db29/b950/11aee78bbd2c600c4290b6.JPG
https://irp-cdn.multiscreensite.com/2c08acbc/dms3rep/multi/mobile/c82ac01c3c2c4c2abefcf1a7e122f22e-654x610.dm.edit_0MPL8R.png
http://helkra-eu.com/wp-content/uploads/2017/01/AGD-3.jpg
http://pngimg.com/uploads/washing_machine/washing_machine_PNG15618.png
http://posuda-barnaul.ru/files/uploads/data/shopproduct/594/3248198a-0225-11e3-940a-001e675071c6/medium_58819f50bb0af.jpg
http://www.kerama-marazzi.am/files/products/7257/big/1.jpg
https://d2gg9evh47fn9z.cloudfront.net/800px_COLOURBOX3938189.jpg
http://avega-group.ru/image/catalog/article/arh-i-diz/arh-i-diz-fon.jpg
http://s12.buyreklama.ru/moskva/pic_800_600/34890981/dc51d837cce089a4e5189898b62516ac.jpg
http://gpgun.club/wp-content/uploads/2017/09/empty-living-room-background-room-with-empty-concrete-wall-background-in-modern-house-at-green-screen-on-picture-frames-motion-living-room-decor-wall.jpg
https://timedotcom.files.wordpress.com/2014/04/xi-jinping-time-100-feat.jpg?quality=85&w=1012
https://www.painters-online.co.uk/ugc-1/gallery/178810/126389_big.jpg
http://chert-poberi.ru/wp-content/uploads/proga/111/images1/201708/igor2-21081718491049_42.jpg
https://avatanplus.com/files/resources/original/58b076ac849b615a714f91ff.png
https://img.thedailybeast.com/image/upload/c_crop,d_placeholder_euli9k,h_1439,w_2560,x_0,y_0/dpr_2.0/c_limit,w_740/fl_lossy,q_auto/v1492196772/articles/2014/08/29/putin-mocks-the-west-puts-his-own-prestige-on-the-line/140829-nemtsova-putin-tease_ac1tgh
https://s1.1zoom.ru/b5050/579/Dogs_Cats_Bulldog_480663_3840x2400.jpg
http://im3.turbina.ru/photos.4/2/6/0/7/2/2927062/big.photo/Roza-Khutor-gornolyzhnyy.jpg
http://d1dc7fy73ia9qh.cloudfront.net/wp-content/uploads/2016/02/Sixty-and-Me_Who-Sells-the-Best-Plus-Size-Jeans-for-Women.jpg?iv=217

ВЫ МОЖЕТЕ ПРИОБРЕСТИ ЭЛЕКТРОННЫЕ ВЕРСИИ НАШИХ КНИГ В ИНТЕРНЕТ-МАГАЗИНАХ И В ЭЛЕКТРОННЫХ БИБЛИОТЕКАХ:

«ЛитРес»: http://www.litres.ru/zlatoust
«Айбукс»: http://ibooks.ru
«Инфра-М»: http://znanium.com
«Интеракт»: LearnRussian.com, amazon.com, book.megacom.kz, book.beeline.am, book.beeline.kz
РА «Директ-Медиа»: http://www.directmedia.ru
Amazon: www.amazon.com
ООО «ЛАНЬ-Трейд»: http://e.lanbook.com, http://globalf5.com
ОАО ЦКБ «БИБКОМ»: www.ckbib.ru/publishers

Форматы:
Для ридеров: fb2, ePub, ios.ePub, pdf A6, mobi (Kindle), lrf
Для компьютера: txt.zip, rtf, pdf A4, html.zip,
Для телефона: txt, java

КНИЖНЫЕ ИНТЕРНЕТ-МАГАЗИНЫ:

OZON.RU: http://www.ozon.ru

Интернет-магазин Books.ru: http://www.books.ru; e-mail: help@books.ru
Тел.: Москва +7(495) 638-53-05, Санкт-Петербург +7 (812) 380-50-06

BookStreet: http://www.bookstreet.ru
Тел.: +7 (812) 326-01-27, 326-01-28,
Санкт-Петербург. В.О. Средний проспект, д. 4,
здание института «Гипроцемент».
Часы работы: понедельник — пятница: с 9:00 до 18:30.